S0-BWX-977

"LE TEMPS DU THÉÂTRE"
série dirigée par Georges Banu

THÉÂTRES INTIMES

DU MÊME AUTEUR

ESSAIS

L'AVENIR DU DRAME, Lausanne, éd. de l'Aire, 1981.
PRATIQUES DE L'ORAL, Armand Colin, coll. "U", 1981 (en collab. avec Francis Vanoye et Jean Mouchon).

THÉÂTRE

LAZARE LUI AUSSI RÊVAIT D'ELDORADO, P.J. Oswald, série "Théâtre en France", 1976.
LE MARIAGE DES MORTS, Edilig, coll. "Théâtrales", 1985.
L'ENFANT-ROI, Edilig, coll. "Théâtrales", 1985.

Illustration de couverture :
Félix Vallotton,
La Visite (ou le canapé bleu), 1989 (détail)

ISBN 2-86869-299-0

JEAN-PIERRE SARRAZAC

THÉÂTRES INTIMES

ESSAI

LE TEMPS DU THÉÂTRE

AVANT-PROPOS

Pour rayonner et nous pénétrer, le théâtre a besoin d'un espace resserré. De plus, cet espace gagnera à ne jamais complètement se fixer, à rester précaire et malléable. Au théâtre, les périodes de gigantisme et de monumentalité sont également celles des décadences. Le fameux théâtre d'Epidaure, vaste et imposant, a été édifié au moment du déclin de la dramaturgie grecque antique ; l'art des Eschyle, Sophocle, Euripide, Aristophane fleurissait, lui, dans l'étroitesse et le provisoire des théâtres en bois du Ve *siècle. Mais cette petitesse de l'espace est susceptible, dans l'imaginaire de la représentation théâtrale, d'une dilatation infinie. Elle a vocation à contenir tout un monde. Le drame trace son chemin et atteint sa juste dimension en passant à travers le chas d'une aiguille. Et si le théâtre nous importe et nous paraît toujours indispensable aujourd'hui, dans un univers qui ne cesse de s'ouvrir en grinçant, c'est en raison de son originelle petitesse.*

A l'aube de notre siècle, August Strindberg délimite un espace où le théâtre se retrouve à l'état naissant et au stade expérimental. Cet espace, il le baptise "Théâtre intime" et il nous le laisse en héritage. Adepte du théâtre de chambre, Jacques Lassalle fait écho à Strindberg lorsqu'il rêve "d'un théâtre sans emphase ni arrogance, sans frénésie spectaculaire, d'un théâtre pourrait-on dire convivial et discret, dans la lumière toujours un peu tremblée d'une première fois". Quant à Antoine Vitez, dans ses notes de mise en scène pour l'immense Soulier de satin, *il formule le paradoxe qui va courir à travers tout ce livre : "Pour représenter le monde entier, sa grandeur, il faut la petitesse du théâtre."*

La création dramatique réintègre aujourd'hui une dimension psychologique qu'elle avait naguère bannie. Ibsen, Strindberg, O'Neill, voire Pirandello reviennent occuper, à côté de Tchekhov, une place décisive dans le répertoire théâtral et ils entretiennent un dialogue fructueux avec les auteurs contemporains, au premier rang desquels Beckett, Bernhard ou Duras. Evidemment, ce n'est pas n'importe quelle psychologie qui fait retour au théâtre. Pas un psychologisme réducteur fondé sur la notion obsolète de "caractère", mais une psychologie nouvelle, au sein de laquelle l'inconscient joue un rôle prépondérant, qu'Ibsen, Strindberg et Tchekhov ont apportée au théâtre au moment même où Freud fondait la psychanalyse. Adamov, qui fut un acteur important mais aussi un des témoins les plus précieux de l'évolution du théâtre dans la seconde moitié du XXe *siècle, a parfaitement circonscrit, en 1970, dans les "Notes préliminaires" de sa dernière pièce, la nécessité de cette réhabilitation de la psychologie : "J'étais bien léger à l'époque où je voulais «bannir» la psychologie du théâtre. Mais tout ou presque est psychologie, le corps lui-même est un objet quasiment psychique, alors ? Alors je confondais le formalisme psychologique idiot, boulevardier, et la psychologie profonde. Quiconque sait l'influence que Strindberg a exercée jadis sur moi verra que cette influence, il l'a aujourd'hui, bien que d'une tout autre manière, reconquise."*

Qu'en est-il, dans l'écriture dramatique contemporaine, du problème de l'intériorité ? Peut-on imaginer une dramaturgie qui déchiffrerait le monde à la lumière de l'incontournable subjectivité *? Peut-on rêver d'un théâtre où la psyché et le monde seraient vases communicants ? Est-il possible que ce petit monde que chaque être humain porte en lui devienne le médium et le révélateur du grand monde où nous nous débattons tous ?... Autant de questions qui vont jalonner l'itinéraire du présent essai.*

Théâtres intimes *dresse avant tout le constat d'un* déplacement *: le conflit dramatique qui se déroulait jadis dans un espace interpersonnel prend désormais pour siège principal la vie intérieure de chaque personnage créé par l'auteur ; de Strindberg à Beckett et* d'Ibsen à Duras, nous assistons non seulement à un glissement du drame vers plus de subjectivité mais encore à une "insularisation" du drame dans la psyché du personnage. Comment, dès lors, l'auteur dramatique parvient-il à rendre compte de ce conflit dans l'intime de l'être ? de ce conflit, tramé de rêves diurnes et nocturnes, de fantasmes et de pulsions inconscientes qui ne s'exprime jamais qu'à couvert ? Comment rendre concret sur la scène ce continent invisible ?

La "confession dramatique" – dont Goethe fut l'initiateur et que Strindberg pratique tout au long de son œuvre dramatique –, tel est le premier angle sous lequel j'aborde cette nouvelle dramaturgie de la subjectivité. Ibsen se montre réticent à l'égard de ce processus et continue de dissimuler son ego derrière celui de ses personnages ; mais, avec Strindberg et O'Neill, le théâtre, qui empiète singulièrement sur le domaine du journal intime, de la confession littéraire et de l'autobiographie, devient lieu d'exposition de la psyché de l'auteur.

"La cérémonie des adieux", titre du dernier volet de cet essai en forme de triptyque, célèbre, sous les auspices de Beckett, d'Achternbusch, de Bernhard et de Duras, le triomphe ambigu – c'est-à-dire la chute imminente – d'un "sujet" parvenu au comble de la solitude et de l'autarcie. Sujet qui, depuis le seuil de l'au-delà, interjette appel d'une vie mort-née. Parole testamentaire ou posthume, remémoration et reviviscence : les dramaturgies de Beckett et de Bernhard comme celles de Duras et d'Achternbusch creusent, en ce lieu ambivalent de mort et de renaissance qu'est la scène du théâtre, la sépulture du moi contemporain dont Ibsen, Strindberg, Tchekhov ont, un siècle auparavant, décelé les maladies mortelles.

Quant au volet central, que j'intitule "Théâtre du moi, théâtre du monde", il me permet de suivre l'histoire du drame moderne, du naturalisme à nos jours, en la confrontant non pas à un concept mais – ce qui me paraît plus expédient au théâtre – à un mythe : le mythe du "théâtre intime" forgé par Strindberg.

Ma conviction est que ces idées de "théâtre intime" et de "dramaturgie de la subjectivité" ne devraient pas consacrer les "valeurs" régressives de narcissisme, *d'individualisme, voire d'intimisme qui occupent aujourd'hui le terrain déserté par la pensée, de plus en plus refoulée ou occultée, d'une vie, d'un espace et d'un théâtre* publics. *Tout au contraire, le* Théâtre intime *ouvre l'espace – dans la petitesse du théâtre – pour une rencontre régénérante du monde et du moi – et de soi avec l'autre.*

Il y a cependant fort à parier que cette fin de siècle – qui est aussi fin de millénaire – ressemblera, au moins dans le domaine culturel et théâtral, à la précédente. On y verra – on y voit déjà – coexister, dans une grande confusion, les propositions les plus contradictoires : un matérialisme qui refuse d'être enterré et un spiritualisme, gros d'idéalismes trompeurs, qui rêve de redorer son blason. Au théâtre, ces tendances larvées apparaissent comme à travers un verre grossissant. Puisse le souvenir des affrontements et, surtout, du dialogue de sourds qui, il y a un siècle, mettaient aux prises les partisans du naturalisme avec ceux du symbolisme, nous prémunir contre la répétition de semblables erreurs. Les uns découpaient des "tranches de vie" tandis que les autres prétendaient embrasser le cosmos. Parce qu'il a, en son laboratoire, effectué la synthèse de Zola et de Maeterlinck, Strindberg mérite notre attention. Par-delà les querelles d'écoles et la singularité propre à chaque écrivain, il nous indique une voie qui vaut d'être empruntée : celle où microcosme et macrocosme, théâtre du moi et théâtre du monde avancent bord à bord.

Le théâtre est un petit espace, mais qui ne saurait être mesquinement habité. Ce petit espace réclame d'être rempli par le plus grand et le plus riche des mondes possibles.

Intimité de l'amour :
LA CONFESSION DRAMATIQUE

Et je m'engageai dans cette direction dont je ne pus jamais m'écarter, à savoir transformer en poème ou en image tout ce qui me réjouissait ou me faisait souffrir ou me préoccupait d'une manière ou d'une autre et d'en débattre avec moi-même à la fois pour corriger ma conception de la réalité et pour faire l'ordre et le calme en moi. Nul n'eut autant besoin que moi de ce don, moi dont le caractère passait toujours d'un extrême à l'autre. Tout ce que j'ai publié n'est donc que les fragments d'une grande confession dont ce livre est l'accomplissement.

GOETHE,
Aus meinem Leben,
cité par Strindberg.

Tant qu'il y aura des scènes conjugales, il y aura des questions à poser au monde.

ROLAND BARTHES.

L'ÉPILOGUE IBSÉNIEN

"Epilogue dramatique" : c'est ainsi qu'Ibsen qualifiait *Quand nous nous réveillerons d'entre les morts* (1899), la pièce qui, écrite peu avant son attaque d'apoplexie, fut son ultime œuvre littéraire. La formule convient parfaitement à ce drame où un grand sculpteur et son ancien modèle ne se retrouvent après des années de séparation que pour se déclarer leur amour mutuel et marcher ensemble à la rencontre de la mort ; mais elle éclaire également la production dramatique antérieure de l'écrivain norvégien depuis *Maison de poupée* (1879). Chacun des drames intimes – ou "domestiques" – d'Ibsen se présente, en effet, comme l'épilogue d'un roman non écrit dont la matière constituerait la trame et l'aliment exclusif de l'action dramatique. Lorsqu'ils entrent en scène, les personnages de *Hedda Gabler* ou de *Rosmersholm*, du *Canard sauvage* ou de *Solness le constructeur* ont déjà incubé comme une maladie ce "roman familial" qui couvre leur existence commune et remonte jusqu'avant leur naissance. Il ne leur reste plus qu'à en jouer le climax, le dénouement, la Catastrophe. "Tout est déjà là et n'est que porté au jour", pour reprendre l'analyse d'*Œdipe roi* par Schiller déjà appliquée par Peter Szondi au drame ibsénien[1].

Cependant, dans la dramaturgie ibsénienne, à la différence de la sophocléenne, ce sont moins des faits – comme avoir tué son père et épousé sa mère – qui émergent du passé et contaminent le présent qu' un sentiment diffus de culpabilité. Objectivement, les personnages ibséniens n'ont rien de plus grave à se reprocher que quelques lâchetés, négligences ou malversations ordinaires. Subjectivement, ils se sentent coupables au dernier degré. Chez Ibsen, le tragique n'est pas relié à un événement ou à une fatalité extérieurs au personnage mais déterminé par un état et une évolution psychiques internes qui, à la limite, n'ont d'existence que pour ce seul personnage. A l'inverse de l'Œdipe de Sophocle, qui reste jusqu'au dernier moment dans l'ignorance de la faute qu'il a commise malgré lui, le personnage ibsénien est, d'entrée de jeu, miné par le sentiment d'une faute qu'il n'a peut-être pas commise.

Dans l'intime de l'être...

Maeterlinck a donné un nom paradoxal à ce tragique moderne qui s'impose à partir d'Ibsen ; il l'a appelé le "tragique du bonheur". Tragique de la "vie immobile" que traduira un "théâtre statique" : "Est-il donc hasardeux, s'interroge le poète et dramaturge belge, d'affirmer que le véritable tragique de la vie, le tragique normal, profond et général, ne commence qu'au moment où ce qu'on appelle les aventures, les douleurs et les dangers sont passés ? Le bonheur n'aurait-il pas le bras plus long que le malheur et certaines de ses forces ne s'approcheraient-elles pas davantage de l'âme humaine ? (...) N'est-ce pas quand un homme se croit à l'abri de la mort extérieure que l'étrange et silencieuse tragédie de l'être et de l'immensité ouvre vraiment les portes de son théâtre[2] ?" Hedda Gabler ou Hialmar Ekdal nous paraissent d'autant plus pitoyables que le bonheur – entendons une existence familiale paisible et harmonieuse – est à tout moment à portée de leur main et qu'ils sont incapables de le saisir, et qu'ils se laissent submerger par un malheur d'origine inconnue, souterraine. L'être intime des principaux personnages ibséniens est le site de cette fatale résurgence, le lieu où ils ne cessent de ruminer, de ressasser, jusqu'à la Catastrophe, en une sorte de cure mortifère, de psychanalyse à l'envers, leur "roman familial". Après celle du grand Œdipe, le théâtre d'Ibsen n'inaugure-t-il pas l'ère des petits œdipes que nous sommes tous au-dedans de nous-mêmes ? Métamorphose que nous avait laissé pressentir, en se situant à mi-chemin du héros antique et du "petit homme" moderne, le Hamlet de Shakespeare.

Déjà Hamlet puisait son infortune dans ses soupçons, dans ses visions et dans ses fantasmes ; son destin procédait d'une intériorité maladive tout autant que de l'événement extérieur. Hedda et Hialmar parachèvent cette *subjectivisation* du malheur. Le tragique moderne, dont Ibsen établit les prémices, ne nous donne plus à voir la grandiose culbute d'un héros mais le périple immobile, le long stationnement au bord du vide d'hommes ordinaires en proie à la pulsion de mort. La névrose et tout le cortège des maladies de l'âme font leur entrée sur la scène. Désormais, les retournements de fortune, les péripéties n'auront d'autre théâtre que celui de l'être intime. Ainsi de la Rebecca West de *Rosmersholm*, que Freud, précisément, érigera en personnage emblématique de ces névrosés qui "échouent devant le succès" : après avoir souhaité conquérir Rosmer et son domaine et au moment où cet homme lui propose le mariage, elle ne consent qu'à aller se jeter dans le torrent avec lui. Quelques années avant les principales découvertes du freudisme, Ibsen dote ses personnages d'une psyché qui déborde largement leur conscience et ne cesse de la troubler. Et, tout en prétendant préserver l'intégrité de la forme et de l'action dramatiques, il transforme la scène, quasiment malgré lui, en un écran sur lequel seront projetés les scénarios fantasmatiques et les pulsions inconscientes de ses personnages.

Le rôle-titre du *Petit Eyolf*, un garçon infirme de neuf ans, meurt par noyade – d'une mort qui ressemble étrangement à un suicide – à l'instant même où, sur la scène, sa mère est en train de trahir, devant son mari, son désir subconscient de cette disparition :

"RITA. Tu ne peux pas prononcer le nom d'Eyolf sans émotion, sans que ta voix tremble. *(D'une voix menaçante, les poings serrés.)* Ah ! je souhaiterais presque… Enfin !

ALLMERS *(avec un regard anxieux)*. Que souhaiterais-tu, Rita ?…

RITA *(avec emportement, s'écartant de lui)*. Non, non, non, je ne veux pas le dire. Je ne le dirai pas !

ALLMERS *(s'approchant d'elle)*. Rita ! Pour ton propre bonheur comme pour le mien, je t'en supplie, ne te laisse pas aller à de mauvaises pensées."

La coïncidence entre la pulsion infanticide jusqu'alors refoulée et le tragique "accident" est trop forte pour qu'on n'invoque pas ce chapitre de *L'Interprétation des rêves* où il est question du "rêve de la mort de personnes chères". D'autant que l'émergence progressive du roman implicite confirme l'hypothèse d'une cohérence onirique du drame de la mort du Petit Eyolf. Un peu plus tard, Allmers prend Asta à témoin de son désespoir et lui demande : "Est-ce donc vrai, Asta ? Ou suis-je devenu fou ? Ou bien n'est-ce qu'un songe ? Oh, si ce n'était qu'un songe ! Quelle joie, dis, si j'allais m'éveiller ?" Gageons que, si Allmers était un simple mortel et non point un personnage de théâtre – d'un théâtre qui explore les régions les plus secrètes de l'âme –, il s'éveillerait... ainsi qu'il nous arrive, à chaque fois que nous rêvons de la mort d'un être cher et que ce cauchemar nous devient insupportable !... On apprendra également qu'Eyolf – le Grand Eyolf – est le prénom masculin dont Allmers affublait dans l'enfance (sans doute pour masquer une attirance incestueuse) sa demi-sœur Asta et que Rita, épouse sensuelle et jalouse d'Allmers, a découvert cette communauté de prénoms entre son fils et sa belle-sœur. Quant au dialogue conflictuel qui s'instaure entre les époux, après la mort du Petit Eyolf, c'est une mine de révélations. Lorsque le Petit Eyolf a fait, étant bébé, cette chute qui l'a rendu infirme, ses parents étaient en train de faire l'amour. "Il dormait d'un si bon sommeil", objecte Rita pour se disculper ; mais, quelques répliques plus tôt, confondant ce premier accident et le second, qui fut fatal à l'enfant, elle se contredit et évoque un Petit Eyolf "étendu au fond du fjord. Tout au fond, sous l'eau transparente (...) étendu sur le dos, les yeux grands ouverts". C'est donc sous le regard bien ouvert de son fils que Rita se revoit faisant l'amour avec son mari. Comment, dès lors, ne pas reconnaître, dans ce que Rita appelle pudiquement l'"heure furtive (...) cette heure de feu et d'irrésistible beauté", *la scène originaire* freudienne dont Rita et Allmers restent à jamais les acteurs culpabilisés et le Petit Eyolf l'innocente victime ? "Qui sait, s'interroge Allmers, s'il n'y a pas deux grands yeux d'enfant qui nous regardent nuit et jour ?"... Le roman personnel sous-jacent au drame est constitué par un réseau serré de pensées associatives où s'exprime, selon un processus analogue à l'anamnèse de la psychanalyse, l'inconscient des personnages. Force est de se rendre à l'intuition de Maeterlinck selon laquelle Ibsen aurait "tenté de mêler dans une même expression le dialogue intérieur et extérieur. (...) Tout ce qui s'y dit cache et découvre à la fois les sources d'une vie inconnue. Et si nous sommes étonnés par moments, il ne faut pas perdre de vue que notre âme est souvent, à nos propres yeux, une puissance très folle, et qu'il y a en l'homme des régions plus fécondes, plus profondes et plus intéressantes que celle de la raison ou de l'intelligence[2]..." Contrairement à ce que fera plus tard O'Neill, distinguant et articulant, dans *L'Etrange Intermède*, dialogue et monologue intérieur, Ibsen prépare en secret l'amalgame du dialogue extérieur et du soliloque intime, du réalisme et de l'onirisme. A nous de savoir entendre l'inconscient des personnages et voir l'"autre scène" derrière le réalisme bourgeois apparent de cette dramaturgie. Toujours est-il que l'intime du personnage ibsénien se trouve mis à découvert. A la différence du drame bourgeois, l'intimité n'apparaît plus ici comme le vêtement négligé et confortable de l'individu socialisé, mais comme une dernière protection, qui ne peut manquer de tomber, serait-ce au prix d'une désintégration de l'être lui-même.

Avec Ibsen, pour la première fois au théâtre, le drame domestique devient drame intime. L'*intrasubjectivité* (relation du personnage avec la part inconnue de lui-même) empiète sur l'*intersubjectivité* (relation que les différents personnages entretiennent ensemble) ; la parole intime prend le pas sur la parole partagée. Aussi perspicaces qu'elles soient, les analyses de Peter Szondi sous-estiment le rôle de l'intime et de la subjectivité dans la dramaturgie ibsénienne. "La représentation dramatique ibsénienne, peut-on lire dans *Théorie du drame moderne*, reste reléguée dans le passé et dans l'intériorité. C'est bien là le problème de la forme dramatique chez Ibsen[1]." Il est vrai que, dans presque tous ses drames domestiques, Ibsen croit devoir compenser le déficit en action dramatique qu'engendrent l'intériorisation et la rétrospection par un mouvement et une construction dramatiques "scribéens" en trompe-l'œil. Quelquefois, en effet, on est frappé par une contradiction flagrante entre la forme et la matière du drame : rythmes antagoniques du travail intérieur de remémoration et du carrousel endiablé de personnages qui, dans *Hedda Gabler*, ne font qu'entrer et sortir ; antinomie de la multiplication et de la succession rapide des scènes avec la lenteur obligée des conversations... Il n'en reste pas moins que la critique de Szondi, trop prompte à démêler une crise définitive de la forme dramatique et peut-être aveuglée par son allégeance au théâtre épique de Brecht, passe à côté de l'apport décisif du théâtre d'Ibsen : l'invention d'une dramaturgie de la *subjectivité* (cette même subjectivité sur laquelle le théâtre de Brecht fera l'impasse) dont le ressort principal est, précisément, le travail du passé dans l'intériorité.

Maison hantée, vie fantôme

Le drame ibsénien reprend la structure spatiale du drame bourgeois – le fameux "salon" –, mais en la retournant. Dans le théâtre des Lumières, l'espace intérieur, celui de l'intimité familiale, est constamment menacé par un espace extérieur fauteur de troubles : la crise du *Père de famille* de Diderot s'ouvre avec une maisonnée en alarme parce que le fils, Saint-Albin, vient de découcher pour la première fois, et elle ne se résoudra que lorsque ce même Saint-Albin sera parvenu à faire accepter par son père et dans sa maison cette Sophie qu'il était allé retrouver dans sa mansarde. Dans les pièces d'Ibsen, au contraire, malheurs et malédictions sont d'emblée installés dans la maison, au cœur de l'espace intime. Des années durant, Mme Alving, des *Revenants,* a éloigné son fils de sa propre maison afin de le protéger d'un "milieu de souillure" où il ne pouvait que "s'empoisonner". D'apparence calme et immobile ("Ici, c'est toujours aussi calme. Les jours se suivent et se ressemblent", note Rebecca West au début de *Rosmersholm*), la maison ibsénienne renferme un air corrompu par d'anciennes et inexpugnables fautes et par des scandales d'autant plus pernicieux qu'ils ont été étouffés entre les quatre murs. Respirer l'atmosphère de la maison suffit à se charger de ces fautes et à endosser la culpabilité des scandales. "Tout cela dans cette maison, dans cette maison !" s'écrie le pasteur Manders lorsqu'il apprend la vérité sur le capitaine Alving, sa vie de débauche et ses amours ancillaires. La veuve, qui vient de faire cet aveu, n'a plus elle-même la force de rejeter la faute sur son défunt mari ; s'adressant à son fils, elle s'enlise dans la culpabilité : "Je crains d'avoir rendu la maison insupportable à ton pauvre père, Oswald."

L'espace extérieur – le "fjord mélancolique" – n'est certes pas moins sombre que celui de la maison, mais, ici, la nature, le cosmos ne font que refléter l'espace intime, comme ces premiers rayons du soleil matinal qui déclencheront la folie autodestructrice d'Oswald : "Mère, donne-moi le soleil (...) le soleil... le soleil !..." Un lieu hanté où les morts pèsent sur les vivants et déterminent leur existence, telle est la maison. Une fois refermée l'heureuse parenthèse des années de jeunesse passées à Paris, Oswald se replie "comme un mort vivant" dans la maison qui l'a vu naître ; il tente de séduire la jeune bonne – qui se révélera sa demi-sœur : la fille naturelle du capitaine et d'une domestique – et, sous le regard halluciné de sa mère, reproduit les comportements de son père :

"MADAME ALVING. Des revenants. Le couple du jardin d'hiver qui revient (...).

LE PASTEUR. Comment avez-vous dit ?

MADAME ALVING. J'ai dit un monde de revenants. Quand j'ai entendu là, à côté, Régine et Oswald, ç'a été comme si le passé s'était dressé devant moi. Mais je suis près de croire, pasteur, que nous sommes tous des revenants. Ce n'est pas seulement le sang de nos père et mère qui coule en nous, c'est encore une espèce d'idée détruite, une sorte de croyance morte, et tout ce qui s'ensuit. Cela ne vit pas, mais ce n'en est pas moins là, au fond de nous-mêmes, et jamais nous ne pourrons nous en délivrer."

Quant à la belle, sensuelle et libre Rebecca West, j'ai déjà évoqué la dégradation progressive, sous l'emprise de la "Maison-Rosmer", de son appétit de la vie et de l'amour en un besoin de paix que les psychanalystes appelleraient "pulsion de nirvâna" : "Rosmersholm m'a volé ma force. Ici, on a rogné les ailes de ma volonté. On m'a mutilée. Le temps n'est plus où j'aurais pu oser n'importe quoi. J'ai perdu la faculté d'agir, Rosmer (...). C'est arrivé peu à peu – tu comprends. C'était presque imperceptible au début – et à la fin tout était changé. J'ai été atteinte jusqu'au fond de mon âme (...). Tout le reste – ce qui était laid – le désir, l'ivresse des sens – m'a paru si loin, si loin. Toute cette agitation des instincts s'est calmée – jusqu'au silence. J'ai connu une paix profonde – un silence comme celui qui règne là-haut, chez nous, sous le soleil de minuit, sur les rochers où nichent les oiseaux."

Toutes les maisons ibséniennes sont pareilles à Rosmersholm – "où, comme l'écrit Bernard Dort, les enfants ne crient pas et où personne ne rit jamais[3]" : maisons hantées, maisons-tombeaux. Si la maison possède ce pouvoir mortifère, c'est qu'elle n'est pas ou n'est plus, pour reprendre un terme qui exprime toute la nostalgie de Solness l'architecte, un "foyer"… "Abandonner ton foyer, ton mari, tes enfants !" s'exclame Helmer lorsque Nora lui fait part de sa décision de déserter le domicile conjugal ; et l'épouse de rétorquer que ce "foyer" n'est plus, dès lors que l'amour s'en est retiré, qu'une "maison" : "J'avais vécu dans cette maison huit années avec un étranger et (…) j'avais eu trois enfants… Ah ! Je ne puis seulement pas y penser !" "Maison de poupée", qui ne saurait produire qu'une vie naine, atrophiée, mutilée. De même que l'espace extérieur – immensité neigeuse ou océane – métaphorise l'aridité intime, l'espace intérieur trahit l'humanité blessée de ceux qui l'habitent. Jamais le "grand salon" de *Hedda Gabler* ne deviendra ce lieu intime où pourrait se consolider le couple disparate que forment la fille du général et Tessman, son époux : à la première, il manquera toujours un nouveau piano, un maître d'hôtel, une vie mondaine pour que ce lieu corresponde à ses fantasmes d'aristocrate ; et, sur le second, cette demeure trop luxueuse, à l'opposé du "foyer" dont il rêvait, pèsera toujours comme un fardeau. *Le Canard sauvage* illustre parfaitement ce conflit de la maison et du foyer. Tout le drame se trouve résumé dans l'opposition de l'imposante maison de l'industriel Haakon Werlé, fréquentée par les notables, et du modeste foyer qui abrite Hialmar Hekdal, son épouse Gina, leur fille Hedwige et le Vieil Hekdal, ancien associé de Werlé mis au rancart. Par l'entremise de Grégoire Werlé, fils d'Haakon et dangereux sectateur de la vérité, la maison va ruiner le foyer, provoquer le rejet par Hialmar de sa vie familiale et le suicide d'Hedwige.

Mais la funeste domination du foyer par la maison renvoie, bien sûr, à un autre écrasement : celui de la conscience des personnages par ces puissances invisibles qui hantent leur être intime. Freud a mis en lumière l'analogie de la *maison* et du *moi* : "Dans certaines maladies et de fait dans les névroses (…) le moi se sent mal à l'aise, il touche aux limites de sa puissance en sa propre maison, l'âme. Des pensées surgissent subitement dont on ne sait d'où elles viennent ; on n'est pas non plus capable de les chasser. Ces hôtes étrangers semblent même plus forts que ceux qui sont soumis au *moi*[4]." Cette part occulte de lui-même, son inconscient, le Solness d'Ibsen lui a même donné un nom imagé : il l'appelle "ses trolls", du nom des génies qui hantent *Peer Gynt*... Ainsi se présentent la plupart des créatures d'Ibsen : leur moi "n'est pas, dirait Freud, maître dans (leur) propre maison". La partie obscure de leur psyché annihile en eux l'instinct de vie, les métamorphose en "morts vivants" et transforme leur existence en un fantôme de vie. Les personnages ne cessent de pleurer leur "vie perdue", leur "vie gâchée" (Allmers, dans *Le Petit Eyolf* – "Il n'y a plus pour moi de vie à vivre" ; Irène à Rubek, dans *Quand nous nous réveillerons d'entre les morts* – "Le désir de vivre est mort en moi, Arnold (...). Je m'aperçois que toi et la vie... vous n'êtes que des cadavres au tombeau... comme je le fus moi-même"), et ce leitmotiv structure le drame, lui confère sa structure spatio-temporelle.

Avant-dernière pièce d'Ibsen, *Jean-Gabriel Borkman* porte ces thèmes fondamentaux à leur point culminant. La grande maison de Jean-Gabriel Borkman, qui fut autrefois riche et puissante, n'est plus qu'une espèce de caveau conjugal où se tiennent emmurés, dans deux appartements différents, l'ex-banquier et son épouse Gunhild. Depuis de longues années, les époux ruminent séparément à huis clos la chute de leur empire et de leur maison. Lorsque Borkman a la velléité de sortir de son enfermement volontaire, de renouer avec la vie en reprenant ce combat financier messianique qui l'entraîna jadis en prison, Gunhild le renvoie implacablement à son état de mort vivant :

"BORKMAN. On dirait vraiment que je suis mort !

MADAME BORKMAN *(d'un ton ferme)*. Tu l'es (...). Ne rêve plus jamais de vivre ! Reste étendu où tu es !"

Au vrai, ce n'est pas tant l'expiation du crime financier que celle d'une faute plus secrète, un crime contre l'amour, progressivement révélé au cours de la pièce, qui a transformé la demeure des Borkman en maison hantée et leur existence en vie fantôme. Borkman a, dans sa jeunesse, renoncé à son amour partagé pour Ella, la sœur jumelle de son épouse Gunhild, afin de mieux asseoir sa puissance. "Tu es un meurtrier ! jette à la figure de Borkman Ella, sa belle-sœur. Tu as commis le grand péché de mort ! (...) Tu as tué en moi la vie d'amour (...). Tu n'as pas craint de sacrifier à ta cupidité ce que tu avais de plus cher au monde. En cela tu as été doublement criminel. Tu as assassiné ta propre âme et la mienne !" Pulsion de vie retournée en pulsion de mort ; existence convertie en deuil permanent.

Le propre de la névrose, nous dit Freud, est de rendre l'amour impossible. Et ce manque plonge les personnages ibséniens au plus profond de la mélancolie. De même que la psychanalyse nous ramène des conflits que nous vivons avec d'autres individus vers ceux que nous avions, sans le savoir, avec nous-mêmes, le théâtre d'Ibsen fait parcourir à ses personnages le chemin qui les conduit de leurs affrontements avec leurs proches, leur entourage, la société jusqu'à leurs déchirements intimes. Dans les deux cas, cela se fait à la faveur d'une émergence progressive des pensées inconscientes. "Il est si facile de perdre la mémoire de soi-même", constate Mme Alving. Tout au long du drame ibsénien, ce n'est pas seulement le passé des personnages – leur roman familial – qui remonte à la conscience des personnages, mais, comme dans une psychanalyse, ce qui, dans ce passé, fait sens, ce qui a été refoulé et, du même coup, se répète inconsciemment dans le présent et obère l'avenir. Mais l'analogie du théâtre ibsénien et de la psychanalyse s'arrête là : le but de celle-ci est de tenter de rendre à la vie ses patients ; la tension de celui-là, théâtre du tragique domestique et intime, ne saurait être que la *mise à mort* du personnage : la pulsion de mort dans son cours irrépressible et suicidaire, telle qu'elle s'exprime dans l'objurgation d'Oswald à sa mère, Mme Alving : "Quelle sorte de vie m'as-tu donnée ? Je n'en veux pas ! Reprends-la !"

Scène d'amour au seuil de la mort

Le cours de la "vie perdue" n'est pas susceptible d'être redressé. Le seul salut que puissent espérer les personnages, c'est une miraculeuse renaissance, un "réveil d'entre les morts" à la fois intime et cosmique, un "revivre" aussi éclatant qu'éphémère. "Oh ! Que ne puis-je revivre ! – faire que tout cela ne soit pas arrivé !" s'exclame Oswald, le petit œdipe, dans ce même délire où il demande à sa mère de lui donner le soleil. Eblouissement : ultime et première jouissance concomitante d'une mort dont la mère serait la pourvoyeuse. Dételer cette "vie gâchée" et en inaugurer une nouvelle, fût-elle extrêmement brève, fût-elle rêvée, c'est le sens de l'épilogue, de la Catastrophe en forme de Gloire qui clôt plusieurs drames d'Ibsen. Epilogue doit ici être entendu dans une seconde signification, complémentaire de celle, précédemment dégagée, qui fait du drame le dénouement du roman non écrit : une scène d'amour au seuil de la mort présente, en filigrane, dans toutes les pièces et, de façon manifeste, dans *Rosmersholm* et dans la dernière, *Quand nous nous réveillerons d'entre les morts.*

Aux dernières secondes de *Rosmersholm,* Mme Helseth, la gouvernante, se fait, auprès du public, la messagère quelque peu mystifiée de la *bienfaisante Catastrophe* : "*(regardant autour d'elle).* Sortis ? Dehors, tous les deux, à cette heure-ci (...). *(Se dirigeant vers la fenêtre et regardant au-dehors.)* Seigneur Jésus ! Cette tache blanche, là-bas ! Oh, mon Dieu, ils sont tous les deux sur le pont ! Ayez pitié des pauvres pécheurs. Ne voilà-t-il pas qu'ils s'embrassent ! *(Poussant un grand cri.)* Oh – par-dessus le parapet –, tous les deux ! Droit dans le torrent. Au secours ! Au secours !" Quant aux amants de *Quand nous nous réveillerons d'entre les morts,* ils mettent fin à des années de vie "séparée" et "gâchée" en escaladant la montagne et en allant au-devant d'une avalanche qui sera leur lit nuptial et, aussi, leur linceul :

"RUBEK *(la saisissant violemment dans ses bras).* Eh bien, veux-tu qu'en une seule fois nous vivions la vie jusqu'au fond... avant de regagner nos tombes ?...

IRÈNE. Dans la splendeur lumineuse des sommets, sur la cime de l'oubli !

RUBEK. Irène, mon adorée... oui, c'est là que nous célébrerons notre fête nuptiale (...).

IRÈNE *(comme transfigurée).* Je suivrai volontiers, sans réserve, mon maître et seigneur.

RUBEK *(l'entraînant).* D'abord, Irène, nous fendrons les brouillards et puis...

IRÈNE. Oui, à travers les brouillards vers les sommets, où resplendit le soleil levant.

Les nuées descendent et s'épaississent. Rubek et Irène, la main dans la main, montent, traversant le névé (...) et disparaissent bientôt dans le brouillard qui tombe."

La scène d'amour au seuil de la mort peut se présenter, dans les autres drames, sur un mode plus discret ou dégradé, elle n'en constitue pas moins, dans son ambivalence de mort-résurrection, la seule issue possible au tragique ibsénien : Solness grimpant en haut de la tour, en communion télépathique avec Hilde, puis s'écrasant aux pieds de la jeune fille ; Mme Alving sur le point d'offrir à Oswald, d'un même geste, la mort et le soleil orgastique qu'il réclame ; Allmers et Rita, les parents du Petit Eyolf, regardant ensemble, statufiés, "vers les sommets, vers les étoiles. Et vers le grand silence" ; Ella et Gunhild, les jumelles rivales, penchées sur la dépouille mortelle de Borkman telles "deux ombres au-dessus du mort" ; ou encore, dans un esprit plus ironique, Helmer se mettant à espérer, aussitôt que Nora a quitté la "maison de poupée", "le plus grand des prodiges" et Hedda-Lovborg se donnant tous deux la mort – l'une volontairement, l'autre dans une sorte d'acte manqué – tandis que Tesman et Mme Elvsted s'efforcent de reconstituer le manuscrit brûlé, cette relique.

Dans sa dimension sacrificielle, le suicide du couple, à quoi se résume la scène d'amour au seuil de la mort, ressortit plus à une élévation qu'à une chute. Assomption des amants ou des époux par la force de l'amour retrouvé. Perte qui est aussi *un gain*, comme l'affirme Allmers à Rita, dans *Le Petit Eyolf* :

"ALLMERS. ...Une résurrection, le passage à une vie plus haute.

RITA *(avec un regard de désespérance).* Oui, mais au prix du bonheur, de tout le bonheur de la vie.

ALLMERS. C'est un gain, Rita, que cette perte."

Ainsi l'apaisement final – qui n'est pas celui d'un conflit intersubjectif mais celui des tensions internes aux personnages – réalise une double fusion rédemptrice. Fusion de deux êtres (Rebekka et Rosmer, l'un à l'autre : "Maintenant nous sommes un"). Fusion de l'intime – valeur interdite dans la "grande maison" – avec le cosmos.

De *Rosmersholm* à *Quand nous nous réveillerons...*, Ibsen épure sa dramaturgie. Il l'allège de toute intrigue secondaire, réduit le nombre des personnages et les entrées-sorties qui donnaient à des pièces comme *Maison de poupée*, *Le Canard sauvage* ou *Hedda Gabler* des allures de drame bourgeois. Coïncident enfin la pièce et l'épilogue, cette scène d'amour au seuil de la mort. Et c'est à juste titre que le vieil écrivain peut appeler *Quand nous nous réveillerons...*, la plus dépouillée de ses œuvres (un "échange" au sens claudélien : Rubek, l'artiste mélancolique, retrouve Irène, femme dont la vie s'est jadis arrêtée ; Maïa, son épouse, affamée des bonheurs terrestres, part avec le Chasseur d'ours, force de la nature et viveur impénitent), son *épilogue dramatique*. Ibsen, qui proclamait qu'"écrire, c'est appeler sur soi le Jugement dernier[5]", livre in extremis son lever de rideau pour le Jour de la Résurrection. A ce degré de jubilation et d'élévation artistique, il ne lui reste plus, à l'instar de Rubek, qu'à attendre que la mort fonde sur lui. Ce qui se produit presque immédiatement, par l'entremise d'une attaque d'apoplexie qui, tout en lui accordant six années de survie, le statufie physiquement et littérairement. *Quand nous nous réveillerons...* se substitue ainsi, à titre de testament littéraire, aux *Mémoires* que l'écrivain norvégien annonçait dans le discours de son jubilé : "un gros volume que j'ai l'intention d'écrire, un livre qui unira ma vie et ma production et en montrera l'unité". Mais la personnalité et l'art ibséniens n'étaient-ils pas fondamentalement étrangers à ce projet d'une synthèse de la vie et de la production littéraire, à cette pratique de la "confession" ou, pour prendre un terme plus moderne, de l'"autobiographie" qui fondera l'œuvre d'un Strindberg ?

Au vrai, l'opposition entre Ibsen et son cadet Strindberg – et, depuis, l'affrontement des ibséniens et des strindbergiens – résume l'alternative du drame au tournant du siècle dernier. Des deux dramaturges scandinaves, le premier se tourne vers le passé et achève, en une sorte d'apothéose funèbre – l'épilogue dramatique –, l'histoire de la tragédie bourgeoise que Diderot avait ouverte dans le plus grand optimisme ; le second, au contraire, ne cesse d'interpeller l'avenir, d'essayer de faire table rase de la dramaturgie héritée des XVIIIe et XIXe siècles et d'inventer des formes nouvelles. Tandis qu'Ibsen se veut un *constructeur* et sacrifie tout à ce "long et patient travail de construction dramatique, excitant et énervant", Strindberg s'affirme, dès *Le Fils de la servante*, comme un *destructeur* : "On le traitait volontiers, relate-t-il, de génie destructeur, car il démontait tout : jouets, montres, tout ce qui lui tombait sous la main." Contemporains de Freud, les deux génies dramatiques accordent le rôle prépondérant aux pulsions inconscientes. Ils pressentent l'un comme l'autre que, désormais, dans le déroulement d'un drame, l'intrasubjectivité pèsera plus lourd que l'intersubjectivité. Bref, ils installent le drame dans l'intime de l'être. Mais, à partir de là, leurs chemins se séparent. Et le meilleur témoignage de cette divergence se trouve dans la lecture tendancieuse que, dans ses *Vivisections*, Strindberg donne de *Rosmersholm* : il ne s'intéresse qu'au "meurtre psychique" que Rebecca West aurait perpétré, bien avant le lever de rideau, sur l'épouse de Rosmer ; il croit déceler une lutte mentale, un "combat des cerveaux" là où règne la foncière *passivité* du personnage ibsénien.

Strindberg inventera une dramaturgie de part en part subjective, un théâtre autobiographique où il impose constamment sa propre présence au milieu de ses personnages et où ces personnages ne sont que des projections et des dédoublements de lui-même. Ibsen, à l'opposé, aura été le dernier grand dramaturge à observer cette loi selon laquelle l'auteur doit complètement s'effacer devant ses personnages et rester invisible et silencieux tout au long de la pièce. Même lorsqu'il serre au plus près, à travers le personnage de Rubek, ses angoisses et sa mélancolie personnelles de grand artiste au seuil de la mort, Ibsen, homme d'un autre temps et d'une autre tradition, refuse de céder à ce théâtre à la première personne que prépare en son athanor l'alchimiste Strindberg.

NOTES

1. Peter Szondi, *Théorie du drame moderne*, traduit de l'allemand par Patrice Pavis, avec la collaboration de Jean et Mayotte Bollack, L'Age d'homme, coll. "Théâtre-Recherche", 1983.
2. Maurice Maeterlinck, "Le Tragique quotidien", in *Le Trésor des humbles*, Editions Labor, Bruxelles, 1986.
3. Bernard Dort, "A la croisée des chemins", in *Rosmersholm*, texte français de Terje Sinding et Bernard Dort, Editions du Théâtre national de Strasbourg, 1987. C'est ce texte de *Rosmersholm* que je cite dans le présent chapitre.
4. Sigmund Freud, "Une difficulté de la psychanalyse", in *Essais de psychanalyse appliquée*, Idées/Gallimard, n° 353.
5. Henrik Ibsen, *Un poème*, cité par Terje Sinding dans son article "Strindberg, Ibsen – tours et détours de la subjectivité" in *Théâtre/public*, n° 73, consacré à Strindberg, janvier-février 1987.

Strindberg :
DRAMATURGIE DE L'AUTOPORTRAIT

Selon une opinion répandue, il y aurait deux Strindberg : celui qui, à la fin des années quatre-vingt, pond ses œufs dans le nid du naturalisme et y fait éclore une série de tragédies intimistes *(Père, Mademoiselle Julie, Créanciers...)*, puis, après la crise d'*Inferno*, celui du théâtre onirique, des "jeux de rêve" inaugurés par *Le Chemin de Damas I*, qui s'arc-boute au drame symboliste à la Maeterlinck et, à travers *Le Songe*, *La Sonate des spectres* ou *La Grand-Route*, annonce expressionnisme et surréalisme. En fait, l'indéniable mutation que connaît, au tournant du siècle, la dramaturgie de Strindberg est moins brutale et plus subtile. Il ne s'agit pas de la soudaine irruption d'un théâtre du rêve, mais d'une plus grande affirmation d'un théâtre à la première personne, par l'entremise duquel Strindberg entreprend de tirer, avec la plus grande netteté possible, son autoportrait. Bien évidemment un autoportrait en société et, par-dessus tout, en *couple*.

De la même manière qu'il y a un âge, chez l'individu Strindberg, pour les affres de la vie conjugale et un âge, passé la tentation faustienne, pour l'apaisement relatif que procurent la retraite et l'isolement, il existe, dans la structure même des pièces de cet auteur, en correspondance étroite avec sa vie amoureuse, psychique et spirituelle, un passage d'une dramaturgie de l'intersubjectivité (de la relation catastrophique avec la femme et, plus généralement, avec *l'autre*) à une dramaturgie de l'intrasubjectivité et de la solitude visionnaire. Le passage, signalé par une longue interruption de la production théâtrale, s'effectue entre *Le Lien* (1892), où l'on voyait deux époux régler leurs comptes les plus intimes devant un tribunal, et *Le Chemin de Damas I*

(1898) qui narre les pérégrinations existentielles et spirituelles, en forme de chemin de croix, de l'auteur, alias l'Inconnu. Ces deux formes de l'écriture dramatique – je nomme l'une "scène" et l'autre "tableau" – , loin de s'exclure, s'appellent mutuellement : la première où chaque partenaire s'emploie sans relâche à *posséder* l'autre ; la seconde à la faveur de laquelle l'écrivain tente, tel un nouveau Sisyphe, de hisser ce terrible jeu terrestre de l'anéantissement réciproque jusque dans la sphère du rêve et de la méditation.

La scène

A une époque où Ibsen s'efforce encore de respecter, du moins extérieurement, le principe de la "pièce bien faite" et engonce les sujets nouveaux dans une forme ancienne, l'auteur de *Mademoiselle Julie* bouscule les règles et les usages de l'écriture dramatique, en particulier la sacro-sainte répartition en actes et en scènes. De cette table rase sort une forme concentrée : la scène unique, la scène continue et, surtout, la scène *ambivalente*, puisqu'elle est tout ensemble conjugale et théâtrale, puisque l'hystérie du couple s'y métamorphose en une implacable progression dramatique. Strindberg relate lui-même, dans la préface de *Mademoiselle Julie*, son invention de "la scène", lorsqu'il écrivait, en 1872, *Le Hors-la-loi* : "La pièce était prête en cinq actes quand l'impression inquiétante et morcelée qu'elle dégageait me devint sensible. Je la brûlai, et de ses cendres est sorti un seul grand acte de cinquante pages imprimées qui occupe toute une heure." Plutôt que de régler, dans le cadre d'une composition traditionnelle, la fameuse "scène à faire", le dramaturge lâche la bride à ses personnages et les laisse se faire mutuellement une scène. A l'occasion de cette scène, les inconscients se déchaînent et les comptes se règlent.

La scène sans fin (scène de ménage, scène de méninges : raccourci de la "guerre des sexes" et du "combat des cerveaux") est la *vis dramatica* des pièces conjugales de Strindberg. On ne sait quand elle a commencé, mais nul n'ignore, et surtout pas les antagonistes, que ni la séparation (*Créanciers*) ni la mort (*Le Pélican*) ne sauraient l'apaiser. De son exil ou même d'outre-tombe l'un des combattants revient toujours pour renvoyer la réplique et reprendre la dispute. Si la "scène" a besoin d'un espace confiné, elle ne connaît pas de limites temporelles ; elle dévore le temps : à travers elle, le passé avale le présent et dispose de l'avenir. Les partenaires n'ont aucune chance d'échapper à leur affrontement : la conjugalité est un espace emmuré. Un départ comme celui de Nora, à la fin de *Maison de poupée*, est impensable chez Strindberg. Le théâtre d'Ibsen fait sa place aux drames de la désunion : Nora et Helmer, Hedda et Tessman, Borkman et son épouse forment des ménages désassortis. Les couples strindbergiens – le capitaine et Laure, Adolphe et Tekla (mais aussi Tekla et son ex-mari Gustave), même Jean, le domestique, et Julie l'aristocrate, qui étaient a priori aux antipodes l'un de l'autre – ne sont que trop soudés. Au pire de la tourmente, ils continuent de se déclarer leur amour, comme, dans *Père*, au moment paroxystique :

"LAURE *(la main sur la tête du capitaine agenouillé)*. Quoi ! Tu pleures ? Homme !

LE CAPITAINE. Oui ! Je pleure !... Pourquoi pas ? Un homme n'a-t-il pas des yeux ? Un homme n'a-t-il pas un corps, des sens, des sentiments, des passions ? Ne prend-il pas la même nourriture, n'est-il pas blessé par les mêmes armes, soumis aux mêmes influences de température que la femme ? Vous nous piquez, et nous saignons ; vous nous caressez et nous rions ; vous nous empoisonnez et nous mourons (...).

LAURE. Pleure, mon enfant ! Pleure comme jadis ! Te souviens-tu du jour où j'entrai dans ton existence en prenant le rôle d'une mère ? Ton corps de géant manquait de nerfs, comme celui d'un enfant mal venu ou arrivé avant le terme ! (...) Comme mère, j'étais ton amie ; comme femme ton ennemi. L'amour est une lutte, et ne crois pas que je me sois donnée ; j'ai pris ce que j'ai voulu[1]."

Irréconciliables, les amants ou époux strindbergiens ne le sont ni d'aujourd'hui ni d'hier, mais depuis ces temps immémoriaux où les dieux agacés ont défait l'androgyne pour ne laisser ironiquement à l'homme et à la femme, fausses moitiés, que le désir, nostalgique et torturant, de reformer la figure primitive. "C'est étrange, confesse Adolphe à Gustave à propos de Tekla, mais j'ai parfois l'impression qu'elle n'existe pas en dehors de moi, qu'elle est une partie de moi-même, un viscère qui aurait absorbé ma volonté, ma joie de vivre, il me semble avoir déposé en elle le nœud vital dont parle l'anatomie." Pour s'exclamer, un peu plus loin dans la pièce : "Etrange que cette femme existe dans mon corps comme j'existe dans le sien !" Les deux sexes sont à la fois unis et séparés : fantasme de fusion que vient aussitôt démentir l'expérience traumatisante d'une fausse altérité à l'intérieur de laquelle la femme (vue par l'homme) n'apparaît plus que comme "un jeune garçon avec des mamelles sur la poitrine" et l'homme finit par avouer qu'il est "né pour être femme". La scène se réalimente en permanence de ce sentiment d'"inquiétante étrangeté" : chaque conjoint ne reconnaît plus l'autre, ne se reconnaît plus lui-même qu'à demi, dans ce miroir hallucinant que constitue l'existence de l'autre. C'est assurément le Barthes de *Fragments d'un discours amoureux* qui a le mieux rendu compte de cette aporie initiale à partir de laquelle la relation amoureuse devient une *mise en scène*, le dialogue au sein du couple une dépense perverse du langage, les paroles apparemment anodines de bruyantes et sournoises provocations : "Rêve d'union totale : tout le monde dit ce rêve impossible, et cependant il insiste. Je n'en démords pas." Telle est l'hybris, la *passion,* du couple strindbergien.

La scène strindbergienne ressemble au tonneau des Danaïdes. Réceptacle sans fond pour un théâtre par essence bavard, véhément, agité, très loin du laconisme et de la parcimonie qui, déjà, faisaient école en ce temps, pour un théâtre où chaque personnage prétend avoir le dernier mot et s'épuise à tenter d'ensevelir l'autre sous ses propres paroles. Une telle "logorrhée" nous dit la condition des personnages dans cette crise de langage que constitue la scène de ménage ; elle témoigne de ce vide, de ce manque absolu qui mine la relation amoureuse. La gabegie de paroles vaines et assassines à laquelle cèdent les belligérants de la "scène" renvoie à une tentative désespérée de rassortiment du couple à la faveur d'un silence reconquis où retentirait à nouveau l'accord originel. Ce tragique de l'impossible union délimite la dramaturgie de part en part subjective d'August Strindberg. Subjective, non pas essentiellement parce que l'écrivain puise abondamment dans ses propres démêlés conjugaux, mais parce que, plutôt que de considérer ses personnages de l'extérieur, il participe de plain-pied à leur débat furieux, partage leurs convulsions, entre dans la "danse de mort", fait la scène avec eux, puis interjette appel de cette fatalité qui les pousse l'un contre l'autre en une étreinte catastrophique.

Au-delà du naturalisme, en lisière de la parabole, Strindberg compose une sorte de modèle – ou de *standard* – de la scène conjugale. Au plus près de la forme tragique. Ce qui, pour un moderne, signifie au plus profond de la nostalgie de la tragédie et du sentiment de sa perte, de sa fuite inexorable : dans la trivialité, la banalité, le tout-venant des petites querelles ménagères et quotidiennes. Les pièces de Strindberg, à l'instar pour une fois de celles d'Ibsen, sont solidement ancrées dans la vie quotidienne. Mais ce quotidien, elles le travaillent, elles l'élaborent, elles en dégagent l'épure tragique. Car il ne saurait exister de réalisme subjectif sans une conjugaison du plus concret et du plus abstrait, du monde tangible et de ses marges d'invisible, du quotidien et du fantastique, du familier et de l'étrange. A ce prix, la scène strindbergienne parvient à restituer la barbarie de notre vie intime et à nous en faire entendre les discordances.

Télépathie amoureuse

Tout au long de sa vie, Strindberg se défend d'être fou. Il n'avoue qu'une maladie... l'*amour*, dont il reconnaît toutefois, dans son récit autobiographique *L'Abbaye*, qu'il "présente tous les symptômes de la folie ; on est victime d'hallucinations quand on voit de la beauté là où il n'y en a pas ; on éprouve une profonde mélancolie, alternant sans transition avec des moments de gaieté ; on est pris d'une haine déraisonnable, on se fait de fausses idées des opinions de l'autre (...) on se laisse prendre par le délire de la persécution, qui fait que vous soupçonnez votre vis-à-vis de vous épier, de vous tendre des pièges et de vous persécuter ; on le soupçonne même d'attenter à votre vie, surtout au moyen de poisons". Pour échapper à cet enfer, point d'autre recours que la solitude. Entre deux crises avec ses trois épouses successives – Siri, Frida, Harriet –, Strindberg entreprend des cures plus ou moins longues de solitude, puis il s'isole définitivement quelques années avant sa mort. Mais sa solitude s'avère extrêmement peuplée : "Dans la solitude, constate l'Inconnu du *Chemin de Damas*, on n'est pas seul. L'air s'épaissit ; l'air se gonfle et des êtres prennent naissance, qui sont invisibles, mais qu'on sent là et qui sont vivants."

En présence de la femme, l'auteur et ses personnages masculins vivent en permanence dans la peur d'être dévorés. Ogres craignant l'ogresse. Mais, lorsqu'ils s'éloignent de la terrible partenaire, c'est pour tomber plus que jamais sous son emprise ; car elle est là, en eux-mêmes, et elle les regarde dans le miroir où ils s'observent. Le propre de la *maladie-nommée-amour*, c'est qu'il n'existe pas d'alternative proximité / éloignement, mais seulement un chiasme tragique :

"L'INCONNU. L'expérience m'a enseigné que plus on est proche l'un de l'autre, plus on est éloigné, et plus on est éloigné l'un de l'autre, plus on est proche.

LA DAME. Près des yeux, loin du cœur...

L'INCONNU. C'est toi qui le dis... Mais quand nous nous éloignons l'un de l'autre, nous avons grande envie de nous revoir ; et quand nous sommes à nouveau réunis, nous avons grande envie de nous séparer."

Strindberg décrète à maintes reprises que le lien est rompu avec la femme aimée. De cette annonce, il fait même le coup de théâtre final de *L'Abbaye* : "Il n'éprouvait plus que reconnaissance et mélancolie et pendant un moment le lien qui l'attachait à sa femme et à son enfant l'attira si violemment vers eux qu'il faillit se jeter à l'eau. Mais les aubes du petit bateau firent quelques mouvements vigoureux, le lien se tendit... et se brisa !" L'emphase, ici, a valeur de dénégation. Le lien ombilical avec la femme-mère semble avoir, chez Strindberg, un caractère indestructible. Si l'écrivain parvient à échapper à la scène conjugale, c'est à la manière de l'exilé qui, dans le pays d'accueil, s'empresse de reconstituer une petite portion de la patrie perdue. S'étant arraché à cette funeste relation d'*empathie* et d'identification avec l'épouse, il retrouve aussitôt avec l'absente une autre intimité, une autre proximité dont il dit lui-même qu'elle est de l'ordre de la *télépathie*. De l'intersubjectivité tétanisée, qui était le mode sur lequel Strindberg vivait et donnait à voir, dans ses drames des années quatre-vingt, la relation conjugale, on passe à une intrasubjectivité hantée par la présence télépathique de l'épouse. Dramaturge des vastes étendues de l'intime, il met au point une liaison instantanée entre des êtres que séparent les plus grandes distances dans l'espace et le temps : la *relation amoureuse télépathique.* A la faveur de ses incursions dans le genre de la "féerie dramatique" *(La Couronne de la mariée, Blanche-Cygne)*, l'auteur-Protée joue d'un merveilleux qu'il greffe ensuite sur ces "rêves naturalistes" que sont *Le Chemin de Damas* et *Le Songe*, voire – si l'on pense aux "étreintes télépathiques" avec sa troisième épouse Harriet Bosse, consignées dans le *Journal occulte* – sur sa propre vie intime et érotique.

Dans *Le Chemin de Damas*, la scène de ménage des drames antérieurs se trouve enchâssée, mise en abyme dans un ensemble plus vaste et plus complexe, comme cette petite portion de sa contrée d'origine que l'expatrié recrée en pays étranger. La scène conjugale, la "scène sans fin", donnait de l'existence une représentation métonymique. Elle se suffisait à elle-même et constituait la "noix" du théâtre : "Dans chaque pièce, écrivait Strindberg en 1888, il y a une scène. C'est elle que je veux ; qu'ai-je à faire avec tout le reste, et pourquoi déranger six à huit acteurs pour qu'ils l'apprennent ! En France, je mangeais toujours cinq côtes de mouton, au grand étonnement des autochtones. La côte se composait en effet d'une demi-livre d'os et de deux pouces de gras, que je laissais. A l'intérieur, il y avait un morceau du muscle dorsal, la *noix* ! Donnez-moi la noix ! voudrais-je dire à l'auteur dramatique[2]." A partir du *Chemin de Damas*, la scène conjugale s'insère dans un système métaphorique qui laisse une large part à l'onirisme et n'est pas sans évoquer ce "rêve dirigé" en quoi Claudel reconnaissait l'essence du drame. A l'extrême pointe de la subjectivité, du cœur de sa solitude hallucinée, Strindberg confère une dimension épique aux relations les plus intimes. Il exhausse la scène conjugale au niveau d'un *théâtre du monde* : "Tout peut arriver, tout est possible et vraisemblable. Le temps et l'espace n'existent pas. Sur un fond de réalité insignifiant, l'imagination brode de nouveaux motifs : un mélange de souvenirs, d'événements vécus, de libres inventions, d'absurdités et d'improvisations.

Les personnages se doublent, se dédoublent, s'évaporent et se condensent. Mais une conscience les domine tous, c'est celle du rêveur."

Ubiquité

Le "rêveur", en l'occurrence, c'est Strindberg ; et il partage ce privilège avec le protagoniste de chacun de ses "jeux de rêve"... L'Inconnu du *Chemin de Damas*, Agnès du *Songe* ou le directeur Hummel de *La Sonate des spectres* sont des personnages ambivalents : à la fois observateurs et acteurs. Le dédoublement d'Agnès, fille d' Indra venue sur terre pour connaître et essayer de comprendre les humains, prend même la forme extrême (angélisme ?) d'une scission divin / humain ; dans son périple terrestre, elle s'épuise totalement à tenter de concilier sa mission céleste d'observation avec l'humanité, la féminité qui se révèlent en elle et la font participer aux souffrances d'ici-bas. Ces trois personnages, mais aussi le Monsieur d'*Orage*, opus I du *Théâtre intime*, ressemblent à l'Alcandre de *L'Illusion* de Corneille lorsque, dans la mise en scène de Giorgio Strehler, il traverse le miroir et se trouve métamorphosé en Matamore : illusionniste victime de ses propres prodiges, manipulateur réduit à l'état de marionnette. Dans *Orage*, que Strehler, précisément, a porté à la scène, le Monsieur, un fonctionnaire à la retraite, fait l'aller-retour. A l'extérieur, au début de la pièce, il scrute la façade de sa maison et spécule, avec la clairvoyance d'un narrateur épique, sur l'existence des autres habitants. A la fin, il se retrouve à l'extérieur et lance à sa gouvernante : "Baissez les stores, que nous n'ayons plus à voir ce spectacle." Mais, entre-temps, il est passé à l'intérieur de la maison, dans son appartement, et a repris la scène de ménage avec son ancienne épouse venue hanter sa solitude. Le Monsieur s'est donné lui-même en spectacle !

D'une pièce qui, s'il ne s'agissait que de l'intrigue – un vieil homme solitaire découvre que son ex-femme vient de s'installer, avec un compagnon qui la maltraite, dans son immeuble et recommence de s'empoigner avec elle – , ressortirait au mélodrame ou au vaudeville, la scission du protagoniste, le clivage entre sujet épique et sujet dramatique fait un drame philosophique : une méditation sur l'amour, la solitude et la mort. De même qu'il a mis au point un déclencheur à distance pour tirer ses fameux autoportraits photographiques, Strindberg invente au théâtre le *point de vue intérieur* : dispositif dramaturgique qui confère l'*ubiquité* à l'auteur et à son personnage autobiographique, qui leur permet d'être simultanément dedans et dehors.

La fenêtre ouverte ou fermée, tantôt protégeant la vie intime tantôt la dévoilant, joue un rôle déterminant dans des pièces comme *Orage* et *La Sonate des spectres* : à travers elle, on surprend et on est surpris, souvent les deux à la fois. Dans *Orage* le cadre de la fenêtre est explicitement donné comme un équivalent du cadre de scène : "Les quatre stores rouges, remarque le frère du Monsieur, me font penser à un rideau de théâtre, derrière lequel on répéterait des drames sanglants." Mais la fenêtre n'a pas pour seule fonction d'exposer les drames domestiques que compose Strindberg ; elle sert aussi à les lui désigner. L'auteur partage sa vie solitaire entre son travail artistique et des promenades au cours desquelles, posté sous les fenêtres de gens inconnus, il glane les sujets de ses futures pièces : "Le matin, à l'heure du ménage dans les pièces du rez-de-chaussée, on ouvre une fenêtre, je passe devant et bien sûr je ne m'arrête pas, mais l'espace d'un moment j'ai une vue d'ensemble sur une pièce qui m'est étrangère et, par là, sur une parcelle de la vie d'un homme (...). Le souvenir d'une vieille maison m'est revenu, à laquelle je n'aurais jamais pensé si cette fenêtre n'avait pas été ouverte. Une destinée oubliée depuis longtemps surgit et m'apparut dans une lumière nouvelle et intéressante. Ce n'est qu'en ce moment, en pensant à eux si longtemps après, que je suis arrivé à comprendre ces gens, je comprenais leur tragédie dont je m'étais écarté autrefois parce qu'elle me semblait mesquine et pénible. De retour chez moi, j'esquissai le drame. Je l'avais trouvé grâce à cette fenêtre ouverte (...). Si je me promène le soir lorsque la nuit est tombée et que les lumières sont allumées, mes découvertes sont plus riches car je peux également regarder à l'intérieur des étages supérieurs. J'étudie les meubles et la décoration, je peux saisir des scènes familiales, des tranches de vie. Les gens qui ne tirent pas leurs rideaux ont particulièrement tendance à se montrer et je n'ai donc pas à me soucier de discrétion. D'ailleurs, je prends des instantanés et j'élabore et je complète ce que j'ai vu après coup[2]."

Sous la fenêtre, Strindberg se mue en une sorte de sentinelle inspirée, de gardien méditatif de cette "maison silencieuse" qu'il évoque dans *Le Chemin de Damas* et dans *Orage* – "maison-île" dont parle Strehler, soulignant à juste titre la parenté du Monsieur d'*Orage* avec le Prospero de *La Tempête*. Mais cette réserve et ce retrait de l'observateur ne sont qu'apparents. Car l'écrivain ne saurait démêler si ces silhouettes et ces fantômes qui se découpent à la fenêtre sont d'un autre anonyme ou de lui-même, s'ils participent à quelque drame extérieur ou bien à son propre drame intime. Le salon qu'il scrute est-il vraiment habité ? N'est-ce pas plutôt son regard qui est hanté par la répétition et le remâchage de sa tragédie personnelle ? Est-il lui-même regardant ou, au contraire, regardé, fasciné, halluciné ? Une des stations de Strindberg devant une fenêtre, rapportée dans *Seul*[3], s'achève sur ce constat : "Je fus alors bousculé par un passant et réveillé si brusquement que je me sentis littéralement jeté dans la rue de cette pièce où j'avais été de toute mon âme pendant deux longues minutes et où j'avais vécu une fraction de la vie de ces gens." Et, une autre fois, toujours dans *Seul*, alors qu'il épie depuis la fenêtre d'une chambre celle d'un immeuble en vis-à-vis : "J'étais dans les deux pièces à la fois, à vrai dire beaucoup plus de l'autre côté, je faisais pour ainsi dire le pont entre les deux."

Télépathie, ubiquité artistiques : le dramaturge du *Chemin de Damas* et des pièces postérieures *fait le pont* entre la salle et la scène et, à l'instar du directeur Hummel, il s'avère incapable de déchiffrer les destinées humaines sans compromettre la sienne. Tel est le sens de la modification dramaturgique strindbergienne : mettre au point un dispositif – celui du *Théâtre intime* – qui permette l'autoscopie et l'autoportrait. "L'une des premières occupations de la solitude, lit-on encore dans *Seul*, est de régler ses comptes avec soi-même et avec son passé. C'est un long travail et tout un apprentissage de la maîtrise de soi. Quand elle n'est pas impossible, l'étude de soi est des plus enrichissantes. Pourtant il faut parfois avoir recours à une glace, et le plus souvent à un miroir à main si l'on veut savoir de quoi on a l'air de dos." Dans les pièces de naguère, au temps où le conflit intersubjectif se quintessenciait en un "combat des cerveaux" – "lutte des sexes" ou, dans *Paria* et *La Plus Forte*, affrontement à coloration homosexuelle entre deux hommes ou deux femmes –, il s'agissait de traquer l'autre et de susciter chez lui un sentiment d'infériorité et de culpabilité. Monsieur X à Monsieur Y, dans *Paria* : "Je suis assis en face de la glace et je vous vois de dos (...). De face, vous avez l'air d'un homme franc, qui affronte hardiment son destin, mais de dos... Je ne voudrais pas vous blesser, mais vu de dos, on dirait que vous ployez sous un fardeau ou que vous essayez d'éviter un coup de bâton ; et quand je vois vos bretelles rouges qui se croisent sur votre chemise blanche, elles me font penser à une marque tracée sur une caisse d'emballage." Choisissant la voie radicale de l'autoportrait et de la confession dramatiques, Strindberg, qui se retrouve à la fois dedans et dehors, devant et derrière l'objectif, ne cherche plus à tricher : il sait désormais que Monsieur X et Monsieur Y sont parfaitement réversibles, et que *cet autre, c'est encore lui*. Il en ressort un théâtre sinon sans combat du moins grandement pacifié.

Le tableau

Ces amorces de drames accrochées aux fenêtres, Strindberg n'y reconnaît pas seulement les projections des moments clés de son existence personnelle ; il s'aperçoit aussi qu'elles forment, reliées entre elles, un raccourci onirique du "chemin de la vie" : "Sous l'effet d'une pulsion inconsciente, je descendis en ville pour me promener au hasard (...). En l'espace d'une heure, toute ma vie s'était déroulée devant moi en *tableaux vivants* (...). C'était comme une agonie, comme l'instant de la mort où toute notre vie défile devant nos yeux[2]." La déambulation et son complément, l'état stationnaire, le tableau vivant, sont les composantes essentielles de la nouvelle dramaturgie inaugurée avec *Le Chemin de Damas*, approfondie jusqu'à *La Grand-Route*, mais déjà préfigurée dans les pièces féeriques d'avant la crise d'*Inferno* – *Le Voyage de Pierre l'Heureux* et *Les Clés du ciel*. Les historiens du théâtre ont mis en lumière l'un des aspects de cette refonte dramaturgique, la relation du *Chemin de Damas* et des pièces suivantes avec la tradition, issue du XVIIIe siècle allemand, du *Wanderdrama*, mais ils ont été plus discrets sur la question de la découpe en tableaux, combinée ou non avec la notion de parcours. Pourtant cette idée de "tableau dramatique" participe elle aussi d'une importante tradition théâtrale impulsée par Diderot. "Je pense, pour moi, que si un ouvrage dramatique était bien fait et bien représenté, la scène offrirait aux spectateurs autant de tableaux réels qu'il y aurait dans l'action de moments favorables au peintre" (*Entretiens sur* Le Fils naturel) ; "Le spectateur est au théâtre comme devant une toile, où des tableaux divers se succéderaient comme par enchantement" *(De la poésie dramatique)* : comment ne pas reconnaître, dans ces proclamations de Diderot, le principe organisateur du *Chemin de Damas*, du *Songe*, de *La Grand-Route,* voire de *La Sonate des spectres* ?... La dramaturgie du tableau a pris le relais de la dramaturgie de la scène. La scène de ménage, foyer du théâtre strindbergien, ne disparaît pas pour autant, mais elle s'inscrit à l'intérieur du tableau – cadrée, encadrée ; contenue donc, et comme apaisée.

Dans les scènes de ménage sans fin qui font la substance et la forme de *Père* ou de *Créanciers*, l'espace est aussitôt converti en temps de parole : l'échange ininterrompu – excluant toute pause – de répliques assassines. Dans la dramaturgie du tableau, l'espace reprend ses droits et impose ses règles, en particulier la règle du *silence.* Commentant Greuze, Diderot lui rend grâce du silence de ses tableaux : "Tes personnages sont muets, si tu veux, mais ils font que je me parle, et que je m'entretiens avec moi-même." Quelle est la fonction du silence sinon de nous inviter à la méditation sur nous-mêmes, à ce *soliloque* dont Diderot vante la triple vertu thérapeutique, morale et esthétique ? "Est-il rien de plus louable, de plus utile que cette espèce d'inquisition (...) ? Tous les jours je comparais à mon propre tribunal, et j'y plaide pour et contre Sénèque", affirme Sénèque dans l'*Essai sur les règnes de Claude et de Néron* ; "Vous savez que je suis habitué de longue main à l'art du soliloque (...). Je conseillerai cet examen secret à tous ceux qui voudront écrire ; ils en deviendront à coup sûr plus honnêtes gens et meilleurs auteurs", lit-on dans *De la poésie dramatique.* Or, le silence du soliloque ne laisse pas de travailler l'œuvre dramatique de Strindberg à partir du *Chemin de Damas.*

Dans un silence total surgit d'une fenêtre le "tableau vivant" qui inspire Strindberg. En silence s'effectue le passage d'un tableau à l'autre dans *Le Chemin de Damas,* le décor se métamorphosant autour de l'Inconnu qui sommeille ou se recueille. Au silence retourne la scène conjugale entre la Dame et l'Inconnu dès que menace l'hystérie :

"L'INCONNU. Tu m'aimes donc encore ?

LA DAME. Probablement. Je n'en sais rien.

L'INCONNU. Et tu voudrais que nous reprenions ?

LA DAME. Reprendre nos querelles ? Il ne faut pas !

L'INCONNU. Tu as raison. Ce serait seulement reprendre nos querelles. Et pourtant il est bien dur de se séparer.

LA DAME. Se séparer. Rien que le mot me fait frissonner !

L'INCONNU. Alors que faire ?

LA DAME. Je ne sais pas.

L'INCONNU. Non, on ne *sait* rien, moins que rien, c'est pourquoi je vais me mettre à *croire* désormais."

Telle est la conversion de cet autre Paul qu'est l'Inconnu du *Chemin de Damas* : conversion au silence du philosophe :

"L'INCONNU. Ainsi nous nous haïssons !

LA DAME. Ainsi nous nous aimons !

L'INCONNU. Et nous nous haïssons parce que nous nous aimons ; nous nous haïssons parce que nous sommes liés l'un à l'autre (...).

LA DAME. Est-ce l'adieu ? *Silence.*

L'INCONNU. Oui, c'est l'adieu. *(Silence. La Dame s'en va. L'Inconnu tombe sur une chaise près de la table.)*"

Sur l'ancien dispositif de la "tragédie naturaliste" ramenée à la scène de ménage, "une table et deux chaises", s'étend un silence définitif. Le silence a eu le dernier mot. Silence d'une prière faite en commun. *De profundis* du couple et de la scène tel qu'on l'entend à la fin de *La Danse de mort II,* après qu'Alice a "aidé" le capitaine à succomber à une attaque :

"ALICE *(à Kurt, à propos de son époux qui vient de mourir).* Alors que nous parlions, je l'ai revu devant moi, ici, tel qu'il était dans sa jeunesse – je l'aime, je le vois – comme lorsqu'il avait vingt ans... Comme j'ai dû aimer cet homme !

KURT. Le détester aussi.

ALICE. Le détester aussi, oui. La paix soit avec lui. *(Elle va vers la chambre où elle s'arrête,* les *mains jointes.)*"

Il ne s'agit plus ici d'un simple armistice entre époux. C'est enfin la *paix*, la paix dont rêve Strindberg dans sa solitude hallucinée et peuplée de fantômes, la paix au prix d'un commerce avec la mort dont le théâtre est l'intercesseur tout désigné. Comme un crêpe, le tableau a recouvert la scène et le silence les paroles. Les répliques paroxystiques de jadis se sont calmées et ont tourné au dialogue philosophique. Contournée par le soliloque, la scène se fait *méta-scène*. Le philosophe n'est pas un sage. Le philosophe est un fou qui s'empoigne au corps. Ainsi de Strindberg qui s'étreint lui-même à travers un miroir, à travers le cadre d'une fenêtre, à travers la scène de son *Théâtre intime*.

Alors que la scène était toute dépense, le tableau est tout *puissance* : ramassé, quasi immobile mais jamais statique, silencieux et cependant gros de paroles, vide comme un lieu d'apparitions fantomatiques, vivant parce que plein d'une mort en suspens... Mais l'antithèse majeure de la dramaturgie strindbergienne du tableau est ailleurs : en apparence "privée", puisqu'elle émane de l'intimité de l'auteur, elle est, en réalité, totalement "publique" dans la mesure où le Symbolique, c'est-à-dire *toute culture*, s'y inscrit pleinement. La perspective du tableau strindbergien est éminemment "symbolique" dans le sens que nous rappelle Lévi-Strauss : "Toute culture peut être considérée comme un ensemble de systèmes symboliques au premier rang desquels se placent le langage, les règles matrimoniales, les rapports économiques, l'art, la science, la religion." Boulimique, la "nouvelle" dramaturgie de Strindberg – celle du *Chemin de Damas* et du *Songe* – engloutit tout cela. A la faveur de la crise d'*Inferno*, l'écrivain s'est mis en quête – enquête tragique – des valeurs culturelles et symboliques. Il pourchasse ces "valeurs" que la société a voulu lui imposer. Il s'efforce de remonter cette "chaîne symbolique" dont Lacan nous dit que l'homme y est pris "dès avant sa naissance et au-delà de la mort, pris comme un tout, mais à la façon d'un pion, dans le jeu du signifiant, et ce dès avant que les règles lui en soient transmises, pour autant qu'il finisse par les surprendre". Rompre cette chaîne en devenant alchimiste, en fabriquant de l'or. Provoquer l'universelle banqueroute dont rêvait Nietzsche. Et puis aller à la rencontre du Sphinx. Déchiffrer l'énigme de la vie humaine : "Ce n'était pas le commencement quand nous avons commencé, ce ne sera pas la fin quand nous finirons. C'est un fragment, la vie, sans commencement ni fin." Ainsi parlait l'Inconnu, dans cette fausse Somme ou Totalité, dans ce vrai Fragment auquel s'intègrent tous les drames antérieurs et postérieurs de Strindberg : *Le Chemin de Damas*.

NOTES

1. Je cite ici la traduction française de Strindberg : *Père*, tragédie en trois actes, précédée d'une lettre de M. Emile Zola, Albert Bonniers Förlag, Stockholm, 1888.
2. Cette citation et d'autres qui suivent sont extraites de : August Strindberg, *Théâtre cruel et théâtre mystique*, préface et présentation de Maurice Gravier, traduit du suédois par Marguerite Diehl, Gallimard, coll. "Pratique du théâtre", 1964.
3. August Strindberg, *Seul*, traduit du suédois par Helen et Hervé Coville, Mercure de France, 1967.

Les premiers états de ce chapitre sur Strindberg ont été publiés dans : *Théâtre en Europe*, n° 5, Editions Béba, janvier 1985 ; *Dramaturgies, langages dramatiques. Mélanges pour Jacques Scherer*, Nizet, 1986 ; *Théâtre / public*, n° 73, *op. cit.*

LE ROMAN DRAMATIQUE FAMILIAL D'EUGENE O'NEILL

L'œuvre dramatique d'Eugene O'Neill est celle d'un *héritier*. Du côté personnel et familial, elle trahit le deuil sans fin que l'auteur de *Long voyage vers la nuit* porte de ses parents, particulièrement de sa mère, et de sa propre enfance : une impossibilité définitive, malgré les mariages successifs, la paternité et la réussite littéraire, à s'affranchir de leur tutelle. Du côté de la tradition théâtrale, elle s'appuie sur les grands dramaturges du tournant du siècle, qu'elle cite abondamment : Tchekhov pour ses drames d'une maisonnée à la fois soudée et menacée d'éclatement ; Ibsen avec ses personnages hantés d'un désir de mort et de résurrection ; Strindberg, surtout, dont la scène conjugale, traversée par une torturante nostalgie de fusion avec la femme – ou la mère –, sert de modèle permanent aux pièces d'O'Neill, Strindberg qui semble faire office, pour l'auteur américain d'origine irlandaise, de tuteur ou de père.

D'entrée de jeu, O'Neill érige le théâtre de Strindberg en idéal artistique – le "surnaturalisme" – à la poursuite duquel il voue sa carrière d'auteur dramatique : "Strindberg est le précurseur de notre théâtre dans tout ce qu'il a de moderne (...). Il a mené le naturalisme à son aboutissement logique avec une si poignante intensité que, si l'œuvre de quelque autre écrivain peut être qualifiée de «naturaliste», il nous faut parler, pour *La Danse de mort,* de «sur-naturalisme», et la classer dans un genre unique, qui est le domaine exclusif de Strindberg puisque personne, avant ou après lui, n'a eu assez de génie pour y mériter une place. C'est pourtant une certaine forme de «sur-naturalisme» qui peut nous permettre d'exprimer, au théâtre, ce que nous percevons intuitivement de cette autodestruction, de cette auto-persécution dont nous, hommes modernes, payons notre tribut à la vie (...). Strindberg, alors que beaucoup d'entre nous n'étaient pas nés, a connu et enduré notre propre lutte. Il en a rendu compte en donnant le maximum d'ampleur à la méthode connue alors, et en préfigurant, tant dans la forme que dans le contenu, les méthodes à venir[1]." Une aussi filiale vénération nous amène à nous demander si O'Neill n'opère pas sur Strindberg un *transfert* au sens psychanalytique. L'auteur de *La Danse de mort* substituerait son image à celle, négative, du père réel – ce James O'Neill qui fut acteur et chef de troupe et dont toute la carrière se résuma à produire sur les scènes d'Amérique un inusable *Monte-Cristo* – et il transmettrait à Eugène, son héritier dans l'art du théâtre, cette méthode qu'il a inventée pour sublimer ses conflits avec sa famille, avec ses épouses successives, avec son propre moi : la *confession dramatique*. A l'instar de l'auteur du *Chemin de Damas*, O'Neill ne parviendrait à mettre en relief l'"autodestruction" et l'"auto-persécution", fatalité de l'homme moderne, qu'au prix d'une auto-analyse (relayée, dans son cas, par une psychanalyse) qui le conduirait à projeter dans les personnages et les événements de ses pièces son être intime, sa psyché, sa propre vie déchirée.

Passage à l'acte

La critique a relevé dans l'œuvre d'O'Neill la part des souvenirs personnels et l'empreinte de sa vie familiale et conjugale, mais elle passe sous silence l'essentiel, à savoir le processus existentiel et esthétique à travers lequel les éléments autobiographiques prennent forme dramatique. Il n'est pas négligeable de faire remarquer que le jeune journaliste tuberculeux du *Brin de paille* ou de *Long voyage vers la nuit* constitue un autoportrait du dramaturge et renvoie à un épisode douloureux de sa jeunesse, mais il serait autrement décisif d'établir comment et jusqu'à quel point ces pièces et beaucoup d'autres définissent une dramaturgie *à la première personne*. Le Strindberg du *Chemin de Damas*, du *Songe*, de *La Grand-Route* ne cesse de se dédoubler et de projeter sur la scène son moi éclaté. Qu'en est-il d'O'Neill ? Sa démarche autobiographique est-elle aussi radicale que celle de son père symbolique ? Reprend-il à son compte le principe strindbergien de l'*ubiquité* ? Est-il présent dans ses drames à la fois en tant que personnage et en tant que narrateur – ou, comme dirait Szondi, que "moi épique" ? Retrouve-t-on, dans le théâtre d'O'Neill, le même clivage et la même scission (personnage spectateur/personnage agissant ; rêvant/rêvé) qui se produit chez Strindberg à partir de la crise d'*Inferno* ? Ou bien l'auteur dramatique américain se contente-t-il d'insérer des fragments de sa biographie dans une forme plus conventionnelle que celle forgée par son grand prédécesseur ?... La réponse à cette série de questions passe évidemment par un examen de la structure des drames d'O'Neill. Et, en premier lieu, par la prise en compte de cette anomalie qui les caractérise : les pièces d'Eugene O'Neill ressemblent à des romans[2].

Si les pièces d'Ibsen s'arc-boutent à un roman non écrit, dont elles constituent l'épilogue, celles d'O'Neill se déroulent et se découpent à la manière d'un roman : chaque acte de *L'Etrange Intermède* (qui en comporte neuf) ou de la trilogie *Le deuil sied à Electre* (treize, au total) mériterait l'appellation de "chapitre"... La structure temporelle ibsénienne est semblable à l'iceberg : un long et lourd passé gouverne invisiblement une brève action au présent. Chez O'Neill, tout fait surface, des dizaines d'années et quelquefois le cours entier d'une vie. La succession d'instants présents, qui préside à chaque acte, se métamorphose, dans la progression générale de la pièce, en accumulation romanesque du passé. Les indications scéniques, déjà fouillées et "romanesques" dans le théâtre d'Ibsen, renvoient directement, dans le théâtre d' O'Neill, aux parties descriptives d'un roman du XIXe siècle : elles dessinent avec précision et dégagent l'âme du décor et des personnages. D'ailleurs la greffe romanesque ne concerne pas seulement les didascalies ; elle affecte aussi parfois le dialogue lui-même, sous l'espèce de ce *monologue intérieur* qui émerge sporadiquement dans *Enchaînés* et massivement dans *L'Etrange Intermède.*

Faut-il en conclure, comme certains commentateurs, que le choix de la forme dramatique par Eugene O'Neill relèverait du malentendu ou du mauvais compromis ?...

Ce serait ignorer le fait que ces détours romanesques nourrissent et fortifient la relation intersubjective dialoguée, donc la forme dramatique elle-même. Dans *L'Etrange Intermède*, par exemple, le monologue intérieur rebondit, notamment sous forme de lapsus, dans le dialogue. Darrel à Nina, à propos de Sam, l'époux de cette dernière : "Il a trop engraissé, évidemment. Il doit avoir un peu trop de tension. Mais c'est fréquent à partir d'un certain âge, chez les personnes de son tempérament. Il n'y a pas de quoi se réjouir... Je veux dire s'inquiéter. *(Avec violence :)* Bon dieu ! Pourquoi m'avez-vous fait dire : me réjouir ?" Ce serait aussi négliger la possibilité, ouverte par la mutation de la forme dramatique à l'époque des Lumières, d'une hybridation régénératrice du drame par le roman : "Que m'importe qu'une pièce ne soit ni tout récit ni tout drame ? Nommez-la un être hybride ; il suffit que cet hybride me plaise et m'instruise plus que les productions régulières de nos auteurs corrects, tels que Racine et autres. Le mulet n'est ni âne ni cheval : en est-il moins une des plus utiles bêtes de somme ?" (Lessing) "Je puis (...) traiter dramatiquement un sujet, sans pour cela vouloir écrire un drame qui se joue ; en d'autres termes, j'écris un roman dramatique, et non un drame théâtral, et dans ce cas, il suffit que je me soumette aux lois générales de l'art, et je n'ai pas besoin de suivre les lois particulières du goût théâtral." (Schiller)[3] Dans le cas d'O'Neill, l'essor du drame exige l'étendue romanesque mais la forme dramatique parvient seule à exprimer le roman personnel de l'auteur.

Cette contradiction dynamique du romanesque et du dramatique, O'Neill l'inscrit d'ailleurs dans le sujet de *Jours sans fin*, pièce relatant une péripétie de sa vie avec Carlotta, sa troisième épouse. Les trois premiers actes de cette œuvre, qui en comprend quatre, s'intitulent "Intrigue pour un roman" et "Intrigue pour un roman, suite". On y voit John Loving, un homme d'affaires culpabilisé d'avoir trompé sa femme, Elsa, renouer avec son ancienne ambition de devenir écrivain, composer un roman autobiographique où il confesse son infidélité conjugale, laisse éclater sa haine de la vie et narre la mort de sa femme et la sienne. A partir du moment où John Loving aura exposé devant sa femme l'intrigue qu'il vient de bâtir, celle-ci, déjà grippée, s'enfoncera dans la maladie et se laissera mourir. Le drame ici, c'est, dans tous les sens du terme, le *passage à l'acte* du roman. Deux particularités de *Jours sans fin* peuvent nous aider à mieux déterminer la nature de ce roman qui structure les drames d'Eugene O'Neill. D'une part, le protagoniste se dédouble, comme le docteur Jekyll, en deux figures antagoniques, "John" et "Loving", dont le premier est l'amoureux défaillant de la vie et d'Elsa et le second le champion de la pulsion de mort. D'autre part, la mort imaginée pour l'épouse, une grippe dégénérant en tuberculose pulmonaire, correspond à celle dont furent victimes les parents de John Loving lorsque celui-ci était encore enfant. Ni la référence à un profond traumatisme dans l'enfance de Loving – et d'O'Neill –, ni la répétition fatidique de la mort par tuberculose, ni l'affabulation entre soi et soi-même – John et Loving – ne sont innocentes : elles nous disent sans ambiguïté que le foyer du roman dramatique o'neillien se trouve dans ce que Freud appelle le "roman familial des névrosés". Tout enfant échafaude, afin de compenser la découverte traumatisante du statut de simples mortels de ses parents, un roman œdipien et mégalomane où il s'invente un père, une mère et une destinée extraordinaires, roman qui, à l'âge adulte, disparaîtra ou deviendra inconscient. Le dramaturge Eugene O'Neill poursuit, lui, dans son théâtre autobiographique le jeu fantasmatique de son plus jeune âge, soliloque discordant entre John et Loving, Eugène et O'Neill.

La psychanalyse nous apprend que le roman familial permet à l'enfant, en brouillant ses origines, de contourner le tabou de l'inceste. La profusion, dans le théâtre d'O'Neill, des figures maternelles, souvent confondues avec celles de l'épouse, renvoie bien, en effet, à cette ruse première de l'enfant œdipien. Dans sa pièce *Un grain de poésie*, l'auteur démonte même, avec une grande subtilité, les mécanismes du roman familial et de sa liquidation chez une jeune fille, Sara Melody. Le père de cette dernière, le "commandant Melody", est pourvu de deux identités : misérable cabaretier alcoolique des environs de Boston, mais aussi ancien héros de l'armée anglaise en Espagne, farouche duelliste et séducteur. Affectant de mépriser la mégalomanie de son père (refusant de s'apercevoir que son propre roman familial en est la source), Sara se livre, avec l'alibi de l'ironie, à une flagrante tentative de séduction incestueuse : lorsqu'elle s'adresse à son père, elle mime le parler incorrect – le "brogue" irlandais – de sa mère. Jusqu'à ce jour où, Sara étant tombée amoureuse d'un jeune homme, son père dégrisé refusera d'endosser une fois de plus le rutilant costume du "commandant Melody".

La mère absente

Au théâtre, il faut chercher l'absent, le Grand Absent, celui qui, depuis un seuil d'invisibilité, oriente le drame. Il finit toujours sinon par apparaître afin de manifester sa puissance, tel Thésée dans *Phèdre* de Racine, du moins par transparaître, à la manière d'une obsession ou d'une religion, dans les actes et propos des personnages présents. Chez O'Neill – nouveau point commun avec Strindberg – , le Grand Absent, c'est la mère. Ou plutôt ce "dieu-mère" qu'invoque Nina dans *L'Etrange Intermède* : "Nous aurions dû nous représenter Dieu comme une Mère créant le monde dans la douleur. Nous aurions compris pourquoi, nous, Ses enfants, avons hérité de la douleur, car nous aurions su que le rythme de notre vie n'est autre que celui de Son grand cœur, torturé jusqu'à l'agonie par l'amour et la maternité. Et nous aurions senti que la mort représentait l'union avec Elle, la fusion avec Sa substance, un nouveau mélange de notre sang avec le Sien, le partage de Sa paix." "Oh oui ! Oh oui ! Nina !" s'exclame alors Marsden, doublement reconnaissant à la jeune femme d'avoir ciselé à son intention le mythe de la mère-mort : une première fois en tant que personnage, vieux garçon entièrement dévoué à une mère malade ; une seconde fois à titre d'écrivain – c'est-à-dire de substitut d'Eugene O'Neill – qui rend grâce au personnage principal de *L'Etrange Intermède* d'avoir honoré la Grande Absente.

Les personnages masculins d'Eugene O'Neill sont avant tout des fils et ils ne recherchent pas moins que ceux de Strindberg l'impossible fusion avec la femme qui les a enfantés. Avec l'épouse aussi, quelquefois, tel Cape, le dramaturge d'*Enchaînés* (autre projection de l'auteur) marié à l'actrice Eleanor : "Cela a commencé par la division d'une cellule entre toi et moi, il y a des centaines de millions d'années, division qui a laissé derrière elle un éternel et ardent désir de redevenir une seule vie"... Mais alors cette union des vivants se transforme, ainsi que le suggèrent les paroles sacrificielles d'Eleanor ("Je me trouvais et je me perdais, je commençais à vivre en toi. Je voulais mourir et devenir toi !"), en noces de mort avec la figure invisible de la mère, du dieu-mère, femme pourvoyeuse, dans l'obscurité de son sexe, de la mort comme de la vie, mère veillant, conformément à nos plus anciennes mythologies, au repos définitif de son enfant mâle. Dans *Le Brin de paille,* la mère décédée du jeune écrivain Stephen Murray se réincarne, pour accueillir son fils dans la mort, en une jeune phtisique condamnée, Eileen Carmody, pour laquelle le personnage autobiographique d'O'Neill se découvre soudain un grand amour suicidaire : "*(Eileen l'accueille avec un sourire timide, heureux, tandis qu'il vient s'agenouiller près du lit.)* Stephen. *(Il l'embrasse. Elle lui caresse les cheveux et poursuit, sur un ton de sollicitude maternelle.)* Il va falloir que je prenne soin de toi, Stephen, n'est-ce pas ? A partir de maintenant. Je t'obligerai tous les jours à prendre tes heures de repos, à boire ton lait quand je boirai le mien, à aller te coucher à neuf heures juste, en même temps que moi, à faire tout ce que je te dirai, à... *(Le rideau tombe.)*"

Sur cette scène de mourir extatique, dans les bras de la mère-épouse, du jeune écrivain poitrinaire qu'il fut lui-même, O'Neill ne peut en effet que tirer le rideau. Rideau sur l'inceste, rideau sur son désir de la mère en tant qu'il est devenu, passé l'enfance, appel de la mort. Cependant, dans cette voie interdite, le dramaturge s'aventurera plus loin encore. La relation d'Eben, le jeune paysan de *Désir sous les ormes*, avec sa belle-mère Abbie, qu'une indication scénique qualifie d'"affreux mélange de luxure et d'amour maternel", est doublement incestueuse : au fait qu'Abbie soit la nouvelle épouse du père d'Eben s'ajoute le phénomène de réincarnation déjà noté à propos du *Brin de paille.* C'est dans la salle où fut exposée la dépouille mortelle de la mère d'Eben – pièce de la maison Cabot fermée depuis comme un tombeau – que les deux personnages deviendront amants et concevront un enfant (cet enfant de l'inceste qu'Abbie va par la suite assassiner) :

"ABBIE. Quand je suis entrée... dans le noir... on aurait dit qu'y avait quelque chose ici.

EBEN *(avec simplicité).* Maman.

ABBIE. D'abord... la chose, elle m'a fait peur. J'avais envie de crier et de m'enfuir. Maintenant... depuis que t'es là... on dirait qu'elle devient gentille et bonne pour moi. *(S'adressant à l'invisible, d'une voix étrange.)* Je vous remercie."

La mère morte est le paradoxal dieu lare de la maison o'neillienne. Maison sépulcre, qui parvient à refroidir les ardeurs du vert patriarche de *Désir sous les ormes* : "CABOT. Il fait froid dans cette maison. On s'y sent pas à l'aise. Y a des choses qui rôdent dans l'ombre... dans les coins." Maison sanctuaire où le professeur Leeds et sa fille Nina de *L'Etrange Intermède* abritent leur veuvage, lui de son épouse, elle de son fugitif fiancé, le héros sacrifié Gordon :

"PROFESSEUR LEEDS. J'ai froid... je suis seul... Cette maison est déserte... pleine seulement de la mort..."

Le lieu o'neillien n'est pas sans rappeler la maison hantée d'Ibsen ; comme cette dernière, il réduit ses habitants à l'état de fantômes. La maison de campagne des Tyrone, où se déroule *Long voyage vers la nuit*, l'œuvre la plus directement autobiographique d'O'Neill, est cernée par un épais brouillard qui, progressivement, va envelopper comme un suaire les membres de la famille, en particulier Mary – la mère d'O'Neill. A la diffférence des mères précédemment évoquées, Mary n'est pas morte lorsque commence la pièce ; mais, droguée et suicidaire, en proie à un irrépressible sentiment de culpabilité depuis la mort en bas âge d'Eugène *(sic)*, un de ses enfants, elle n'existe que sur le mode fantomatique. Son apparente présence ne la rend que plus radicalement absente aux yeux de ses deux grands enfants, Edmund et Jaimie – c'est-à-dire O'Neill et son frère... Mary vivante porte à son paroxysme la figure de la mère morte. L'amour qu'elle a pour Edmund, jeune homme de vingt-trois ans (mais, dit-elle, "Edmund, ici, est toujours le bébé"), est inextricablement mêlé à un sentiment de panique, voire de répulsion dont l'origine remonte à la perte du petit Eugène. "Tu es né peureux, déclare Mary à Edmund.

C'est que j'avais eu si peur de te mettre au monde."

André Green a mis au jour un "complexe de la mère morte[3]" qui s'applique parfaitement à Edmund Tyrone, alias Eugene O'Neill. La mère, dans ce cas, n'est pas morte réellement, mais *affectivement.* "Mère muette, fût-elle loquace" (ainsi de Mary, dans son attitude cyclothymique à l'égard de sa famille), "pour une raison ou une autre, (elle) s'est déprimée (...) Parmi les principales causes d'une telle dépression maternelle, on retrouve la perte d'un être cher (...) Le cas le plus grave est celui de la mort d'un enfant en bas âge" (la mort d'Eugène, aîné d'Edmund). Devenu adulte, le sujet qui a vécu dans son plus jeune âge cette relation avec une mère présente-absente "a le sentiment qu'une malédiction pèse sur lui, celle de la mère morte qui n'en finit pas de mourir et qui le retient prisonnier (...) le sentiment d'une captivité qui dépossède le moi de lui-même et l'aliène à une figure irreprésentable" ; le sujet, écrit encore Green, "passe sa vie à nourrir son mort", "la mère est devenue l'enfant de l'enfant". Eugene O'Neill, à l'instar des personnages de fils qu'il a créés, dépense une grande partie de son activité psychique à nourrir – en lui-même et au profit de cette projection de lui-même que constitue son théâtre autobiographique – la mère morte ; il la maintient, selon la saisissante expression d'André Green, "dans un perpétuel embaumement". Tel est le tribut intime, névrose canalisée par la démarche artistique, que paie l'auteur de *Long voyage vers la nuit* à une dramaturgie "surnaturaliste" dont les ressorts sont l'"autodestruction" et l'"auto-persécution". Sur ce "complexe de la mère morte" plus ou moins consciemment instauré en matrice du drame o'neillien, la dernière pièce de l'écrivain, *Une lune pour les déshérités*, jette d'ailleurs une lumière crue. Le fermier Hogan, à propos de James Tyrone, qui représente dans la pièce le frère "raté" d'O'Neill :

"HOGAN. Il regarde devant lui sans rien voir, et l'air triste, comme s'il était en train de pleurer sur un fantôme qu'il a en lui, et...

JOSIE. Oh, ce qu'il a, quand il est comme ça, je m'en doute. C'est le souvenir de sa pauvre mère, et le chagrin de l'avoir perdue. *(Compatissante.)* Pauvre Jim !"

Enceint de la mère morte, le sujet voit se creuser en lui un vide auquel la blessure narcissique a servi d'appel. "Narcissisme de mort", qui marque les personnages autobiographiques d'Eugene O'Neill, cette théorie d'écrivains plus ou moins actifs ou velléitaires : Murray, Cape, Marsden, Loving, Edmund Tyrone, voire Orin dans *Le deuil sied à Electre* et Richard Miller, l'adolescent déclamatoire, qui s'identifie au Lovborg de *Hedda Gabler*, de la comédie *Ah ! Solitude*. Le personnage de l'écrivain est un enfant-roi déchu qui pleure à jamais son royaume et sa reine. Personnage au sexe indécis vivant en symbiose avec la Grande Absente ; "un de ces pauvres diables qui passent leur vie à essayer de ne pas savoir à quel sexe ils appartiennent", lâche Darrel à propos de Marsden...Alors que, chez Strindberg, le personnage autobiographique se multiplie et prolifère (dans *Le Songe*, c'est aussi bien Agnès que la triade officier-avocat-poète), il paraît plus individualisé et plus discret chez O'Neill. Le personnage autobiographique o'neillien n'occupe pas forcément la place du protagoniste – Marsden, par exemple, serait plutôt un faux personnage secondaire – et il ne se distingue des autres personnages que par cette aura narcissique qui l'isole de la relation intersubjective. Le personnage autobiographique bénéficie d'un statut *intrasubjectif* privilégié. Sans répit il questionne son entourage et contraint ses proches à l'aveu. En d'autres termes, les personnages de la constellation dramatique o'neillienne deviennent hyperloquaces et hypertransparents sous le regard d'un seul, le personnage de l'écrivain, représentant de l'auteur au sein du drame. Processus questionnant et torturant qui culmine avec ce monologue intérieur – ou "monologue de la pensée" – auquel sont soumises les créatures de *L'Etrange Intermède*. Triomphe narcissique : fantasme d'absorber l'autre dans le miroir de son ego ; revanche viagère d'un enfant blessé qui n'en finit jamais d'essayer de se rassurer et de colmater son vide affectif en interrogeant compulsivement tous ceux qui sont à sa portée : père, mère, frères et sœurs, épouse, amis. Sur cette faiblesse de l'âme s'établit la puissance ambiguë d'un auteur dramatique qui remet sans cesse sur le métier son roman familial : John Loving. Loving John ; celui qui, pour son intime torture, s'aime lui-même.

Réputé bavard, le théâtre d'Eugene O'Neill est en fait victime de l'équivoque du *non-dit*. J'entends de cette traduction dramatique directe d'une sous-conversation entre les personnages – le "monologue de la pensée" – lorsque, fatalement, elle devient un *trop dire*. Pris au piège que leur tend le personnage autobiographique, les autres personnages révèlent sans trêve leurs pensées et les motivations secrètes de leurs actes et de leurs attitudes. Tout l'effort du dramaturge est d'extraire l'intime de l'intériorité de ses créatures et de le porter à la surface du dialogue. L'intrasubjectivité est ainsi traitée comme la réserve, dans laquelle on puise à tout moment, de la relation intersubjective. L'innovation formelle, dans *L'Etrange Intermède*, du "monologue de la pensée" n'est que la systématisation d'une tendance de toute la dramaturgie o'neillienne ; et elle est moins à verser au crédit d'un théâtre de l'inconscient qu'à celui d'un commentaire psychologique et moral permanent des comportements des huit personnages de la pièce. Faux monologue intérieur, puisqu'il n'a d'autre objectif, en s'extériorisant, que de rendre plus explicite, jusqu'à saturation, le dialogue avec lequel il est mis en apposition. Par exemple, lorsque Darrel commet le lapsus de se "réjouir" du mauvais état de santé de Sam, l'époux de Nina, il ne fait que confirmer – sans véritable surprise pour lui-même, pour sa maîtresse ou pour le spectateur – son désir de supplanter son ami auprès de Nina et le sentiment de culpabilité qu'engendre en lui ce désir. Non seulement O'Neill mais aussi tous ses personnages peuvent lire et commenter à livre ouvert les pensées intimes qui sous-tendent les paroles. A tel point que la contradiction voulue par l'auteur entre dialogue et "monologue de la pensée", niveau conscient et niveau inconscient, se résoud et s'efface aussitôt que posée. Dominés par l'ego narcissique du personnage autobiographique, les autres personnages sont pris dans une relation spéculaire généralisée. Ainsi d'Eleanor vis-à-vis de Cape, dans *Enchaînés* : "Tout est si beau... et puis... soudain, je suis comme broyée. Je sens en toi une présence cruelle qui me paralyse, qui envahit mon corps, qui en prend possession, de sorte qu'il n'est plus mon corps... et puis qui essaie de s'emparer d'une dernière chose, la plus secrète, celle qui fait que je suis moi... moi... mon âme... Une présence cruelle qui exige d'avoir aussi cela ! Et je suis obligée de me révolter de toutes mes forces... de saisir n'importe quel prétexte ! (...) J'ai le désir de t'accueillir tout entier dans mon cœur, mais il y a comme une grande force hostile... Je hais cette force inconnue qui est en toi et qui voudrait me détruire." Du début à la fin de la pièce, les personnages d'O'Neill affichent leur psyché. Processus diamétralement opposé à celui des dramaturgies d'Ibsen et de Strindberg dont les personnages sont mus par des pulsions inconscientes inexplicables et restent, à l'instar du protagoniste du *Chemin de Damas*, des inconnus à eux-mêmes. En vérité, si les auteurs scandinaves ont inventé un théâtre où le *ça* déborde, dans tous les sens du terme, la personnalité consciente, le dramaturge américain, lui, tout en s'appuyant sur ses deux grands aînés, restaure un théâtre du *caractère* – du personnage univoque et monolithique – où c'est simplement le moi du personnage qui se dilate à l'extrême. On peut se demander, à cet égard, si la culture psychanalytique dont O'Neill, à la différence de ses devanciers, est nourri n'intervient pas ici comme une norme, une vulgate ou une nouvelle explication prétendument infaillible des rapports interhumains.

L'héritage strindbergien serait ainsi, chez O'Neill, l'objet d'un détournement. Pourtant, les ressorts principaux du "sur-naturalisme" sont en place : "combat des cerveaux", "lutte des sexes", "meurtre psychique" et jusqu'à cet esprit de "vivisection" qui anime Darrel, le médecin-biologiste de *L'Etrange Intermède*. Mais c'est l'engagement qui diffère du tout au tout. La scène strindbergienne, comme l'a montré Dürrenmatt dans sa pièce *Play Strindberg*, tient de la boxe ; la scène o'neillienne ressortirait plutôt au catch : elle n'offre qu'un simulacre de combat, qu'un combat ralenti et différé par le commentaire de ses propres figures. Même Darrel, la figure la plus virile et la plus résolue de *L'Etrange Intermède*, n'échappe pas à cette évaporation des actes psychiques en paroles : "Tout cela est affreux !... Dire que Sam me croit le plus chic type qui soit au monde... et je lui ai fait cela !... Comme s'il n'était déjà pas assez... né sous une mauvaise étoile... je l'achève... et je suis médecin !... Que Dieu soit maudit (...). Elle m'a parlé d'une conversation... après le déjeuner... Elle veut le lui dire... c'est-à-dire le tuer... puis m'épouser !..." Toute cruauté se trouve ainsi désamorcée. Les combattants sont toujours déjà repentis, noyés dans la culpabilité avant même de porter les coups : "Je me suis juré de ne plus jamais toucher à des vies humaines (...). Jamais plus je ne toucherai à un être vivant de plus d'une cellule", déclare encore Darrel, vivisecteur honteux.

La "méta-scène" – ou scène de ménage pacifiée – qui intervient sporadiquement chez Strindberg, à partir du *Chemin de Damas III* et de la rencontre avec Harriet Bosse, semble servir, chez O'Neill, de point de départ. La crise inter- et intrasubjective se déroule dans une perspective chrétienne de rédemption, d'issue miraculeuse : chant d'amour mutuel de Cape et Eleanor à la fin d'*Enchaînés* ; renouement, au dernier acte de *Jours sans fin*, de John Loving avec la foi religieuse de sa jeunesse, avec son amour pour Elsa et pour la vie ; révélation, au moment où va tomber le rideau de *L'Etrange Intermède*, de la tendresse amoureuse qu'éprouve Nina pour Marsden – "Oublions toute cette aventure", suggère Marsden ; "Oui, soupire Nina, nos vies ne sont que d'étranges intermèdes dans la représentation à grand spectacle que se donne Dieu le Père."

L'échec d'O'Neill dans sa recherche d'une *forme tragique* adaptée à son époque est certainement lié à cette vision chrétienne, somme toute optimiste, de l'humaine destinée. A la gageure ibsénienne ou strindbergienne d'ancrer le tragique dans l'existence quotidienne et domestique, se superpose une nouvelle difficulté : l'antinomie entre une logique providentielle et le principe d'une fatalité supra-humaine. De sa fameuse trilogie *Le deuil sied à Electre*, écrite sur le modèle de l'*Orestie*, l'auteur déclare qu'elle "doit avant tout rester une pièce moderne et psychologique – le destin jaillissant de la famille[4]". Or, peut-on bâtir une véritable tragédie sur des personnages de part en part psychologiques, sur de purs caractères post-euripidéens, et sans l'intervention d'une fatalité extérieure, fût-elle, comme chez Strindberg et Ibsen, l'inconscient des personnages ? Se trouve-t-on encore dans le cadre de la tragédie lorsque la fatalité se confond avec le cours même de l'existence ordinaire ("La vie m'a emmené où elle voulait m'emmener", se plaisent à dire les personnages d'O'Neill) et lorsque la faute tragique – *l'hamartia* – se dilue en perte de l'amour de la vie et en sentiment de culpabilité ?... Il faut en convenir : aucune véritable démesure n'habite les personnages de *Le deuil sied à Electre*, même s'ils assassinent (Christine, Orin, Lavinia), même s'ils se suicident (Christine, Orin). *Le deuil sied à Electre* n'est qu'un décalque de tragédie. Les contours eschyléens sont apparents, voire appuyés, mais le sens du tragique demeure absent. La tragédie ne représente, dans cet ensemble de trois pièces, que du *spectacle ajouté*, une superstructure du roman dramatique : silhouette de temple grec – ou de tombeau – de la maison des Mannon ; apparitions régulières d'un vestige de chœur antique ("des types, représentant les yeux et les oreilles de la ville qui épient la famille riche et fermée des Mannon") ; visages transformés par le maquillage et la mimique en masques de chair ("Christine continue de regarder dans le vide. Son visage est maintenant devenu un masque mortuaire tragique") ; pantomime visant à conférer une stature héroïque aux personnages ("Lavinia fait sèchement demi-tour et, de sa démarche saccadée, quitte le salon, telle une poupée mécanique à l'allure tragique").

Sous ses apparences de grandeur antique, *Le deuil sied à Electre* reste un drame bourgeois, voire une comédie. "Est-il possible, se demande O'Neill, d'obtenir par la psychologie moderne une approximation du sens grec du destin[5] ?" Cette approximation, il croit la trouver en faisant coïncider la reprise du mythe tragique et la compulsion de répétition – ou : "de destin" – dont sont victimes les membres de la famille Mannon :

"ORIN. J'ai écrit une histoire de la famille ! (...) Oui ! J'ai fouillé dans le passé des Mannon pour retrouver l'origine mystérieuse du mal qui marque notre destin ! J'ai pensé que si je pouvais voir clairement ce passé, je serais capable de prévoir le sort qui nous est réservé, Vinnie."

"LAVINIA. Je vivrai seule avec les morts, je garderai leurs secrets, je les laisserai me traquer jusqu'à ce que la malédiction de Mannon puisse enfin mourir ! (...) Il n'y a que les Mannon pour se punir d'être nés !"

Cependant, malgré la gravité des événements et des actes commis, la relation des personnages modernes à leurs modèles antiques dénonce son caractère parodique. La tragédie projetée se retourne en comédie bourgeoise. Comédie pathétique, "larmoyante" même – comme on eût dit au XVIIIe siècle –, d'une crise d'adolescence particulièrement aiguë. Comédie d'un pseudo-Oreste et d'une pseudo-Electre des lendemains de la guerre de Sécession qui titubent sur leurs cothurnes. On pense alors au jeune Richard Miller de *Ah ! Solitude*, la seule comédie déclarée d'O'Neill. Se croyant abandonné par sa petite amie et incompris dans sa famille, il prend la pose d'un Lovborg et s'en va noyer son chagrin dans l'hôtel de passe de la petite ville dont ses parents sont des notables...

Dans cette pièce, l'auteur prend le parti de jouer ironiquement, à la Tchekhov, du décalage entre la conscience malheureuse du personnage et la réalité banale de la situation. Choix plus convaincant – même dans le contexte beaucoup plus sombre de pièces comme *Long voyage vers la nuit* – que celui qui consiste, pour les personnages, à mimer l'*hybris* tragique. C'est que la dramaturgie d'O'Neill, à la différence de celle d'Ibsen, ne convoque la pulsion de mort qu'afin de la conjurer, de l'exorciser. Eugène, l'enfant blessé dont on entend la plainte tout au long de la confession dramatique de l'écrivain O'Neill, ne rêve que de cicatrisation et d'une suprême réconciliation avec ses parents, avec l'épouse, avec sa communauté familiale et sociale, avec la *vie*. En ce sens l'épilogue o'neillien est à sens inverse de celui des tragédies domestiques d'Ibsen et de Strindberg. Il ne débouche qu'exceptionnellement sur la solitude, le silence, le sacrifice ou la mort. Il n'ouvre pas sur une catastrophe mais sur un triomphe de la famille, du couple et, en définitive, de la société américaine. Apothéose tranquille, comme à la fin de *Ah ! Solitude*, comédie familiale de la *middle class* des Etats-Unis : "*(Miller passe un bras autour des épaules de Richard et lui donne une bourrade.)* Bonsoir, Richard. *(Richard se retourne brusquement, l'embrasse, puis sort par la porte-fenêtre, précipitamment. Miller le suit des yeux et dit d'une voix enrouée.)*

C'est la première fois depuis des années. Je ne crois pas aux effusions entre père et fils, à partir d'un certain âge... Cela fait sot et malsain... Mais là il s'est passé quelque chose. Et je crois que nous n'aurons plus jamais à nous inquiéter... Quoi que lui réserve la vie, il saura faire face. *(Poussant un soupir de satisfaction, il s'assied dans son fauteuil, et commence à délacer ses chaussures.)* Ces satanés pieds me font mal." La destinée de la famille Miller est typique de l'univers o'neillien : elle ne se réveille de son cauchemar que pour réintégrer le rêve américain. Un rêve auquel l'écrivain souscrit profondément, même s'il est capable de fustiger, en esprit progressiste, toutes ses déviations (notamment dans des pièces sociales et polémiques telles *Dynamo*, *Le marchand de glace est passé*, etc.) et de traiter avec une impitoyable ironie, à la Albee du *Rêve de l'Amérique*, certaines de ses mythologies (comme lorsqu'il dresse le portrait, dans *L'Etrange Intermède*, du fils de Nina, Gordon junior, une espèce de robot débordant de santé et d'insensibilité). Derrière l'échec de la tragédie moderne se profile donc la réussite d'un roman dramatique familial que l'art d'O'Neill, pétri d'humour et de sensibilité, transcende en roman de l'Amérique. L'étendue romanesque des pièces d'O'Neill a libéré l'espace d'un *apprentissage* et d'une *intégration*. Tel est l'ultime message d'un écrivain qui se considéra toujours comme un *héritier*. Mais en va-t-il différemment dans le roman familial freudien ? Le sujet qui, dans un premier temps, s'invente des origines fabuleuses et rabaisse ainsi ses parents, son milieu réel, la société à laquelle il appartient, ne finit-il pas, dans un second temps, par reconnaître et accepter tout ce que, précédemment, il avait voulu refuser ?

NOTES

1. Eugene O'Neill, "Strindberg et notre théâtre", in *Théâtre en Europe*, n° 5, *op. cit.*
2. Quant à la pièce en un acte, forme à laquelle s'adonne le jeune O'Neill, on pourrait montrer qu'il l'organise et la conduit comme une nouvelle.
3. La citation de Lessing est extraite de *La Dramaturgie de Hambourg,* traduction de M. Ed. de Suckau, revue et annotée par M. L. Crouslé, Librairie académique Didier et Cie, 1869. Celle de Schiller provient de la préface des *Brigands*, in *Œuvres*, traduites par A. Régnier, Hachette, 1859.
4. André Green, "La mère morte", in *Narcissisme de vie, narcissisme de mort,* Editions de Minuit, coll. "Critique", 1983.
5 Eugene O'Neill, cité dans la partie anthologie de : Françoise du Chaxel, *O'Neill*, Seghers, coll. "Théâtre de tous les temps", 1971.

L'intime et le cosmique : THÉÂTRE DU MOI, THÉÂTRE DU MONDE *(du naturalisme au théâtre du quotidien)*

> *La tension qui existe entre le monde subjectif du moi et le monde extérieur objectif, entre l'homme et le temps, voilà le problème principal de tout art. Voilà avec quoi doit se battre tout peintre, tout écrivain, tout auteur dramatique et tout faiseur de vers. Cela aboutit naturellement aux mélanges les plus divers des éléments en présence.*
>
> KAFKA, cité par Janouch.

Les événements fondateurs, ceux qui ouvrent une ère nouvelle dans quelque domaine que ce soit, sont souvent les plus imperceptibles : les contemporains les vivent comme Fabrice la bataille de Waterloo et la postérité a du mal à les identifier. Le rôle déterminant, dans l'histoire du théâtre, de l'ouverture par Antoine du Théâtre libre, le 30 mars 1887, n'est qu'à moitié reconnu ; quant à celui de l'éphémère *Intima Theatern* de Strindberg – novembre 1907-décembre 1910 –, il n'a toujours pas été pris en compte. Pourtant ce "Théâtre intime" – "Le mot intime sera le mot d'ordre de notre troupe", annonçait le poème inaugural[1] – regorgeait de promesses et engageait de façon décisive l'avenir de l'écriture dramatique.

Strindberg a cinquante-huit ans lorsqu'il ouvre à Stockholm, avec l'aide du jeune metteur en scène Falck, son propre théâtre. Divorcé pour la troisième fois, il vit dans une grande solitude qui est à la fois sa souffrance quotidienne et le moteur de sa création. L'Intima Theatern représente pour l'écrivain, qui sent la mort venir, le dernier lieu où, avant de disparaître, il va pouvoir se repeupler – de fantômes, évidemment. Nouveau Merlin captif d'une autre fée Viviane (la jeune actrice Harriet Bosse, sa dernière et "première" épouse), ce minuscule théâtre constitue sa "prison d'air" où, invisible mais omniprésent, il accueille les spectateurs de son temps et des temps à venir afin de leur dévoiler son intimité. Une intimité dont il pense à juste titre qu'elle est aussi la leur : "Nous voici rassemblés en cette petite salle, leur déclare-t-il à travers la voix de Falck, dans cette chambre propice aux confidences / Où nous pourrons, en petit comité, / Epancher le trop-plein de nos cœurs[1]."

L'originalité de l'Intima Theatern de Stockholm ne tient pas tant à ses conceptions scéniques, inspirées d'Antoine et de Reinhardt, qu'à ce qu'il institutionnalise l'espace d'une *dramaturgie de la subjectivité* – laquelle atteint sa forme la plus achevée dans les quatre "pièces de chambre" écrites à cette époque : *Orage*, *La Maison brûlée*, *La Sonate des spectres* et *Le Pélican*. Au théâtre, où l'auteur est censé s'effacer complètement derrière ses personnages, le *moi* peut paraître doublement haïssable. Or, Strindberg perpètre le scandale absolu ; il impose son propre moi sur la scène et devient le premier auteur dramatique à pouvoir déclarer, à l'instar du Rousseau des *Confessions* : "J'ai dévoilé mon intérieur." De ce scandale ou de cette exhibition, nombre d'esprits éminents ne se sont d'ailleurs toujours pas remis. Et George Steiner pouvait encore noter en 1961, sur le mode de la désapprobation, qu'"aucun auteur ne fit jamais d'une forme aussi publique que le théâtre une expression plus personnelle[2]".

Certes Strindberg se défend parfois de procéder, à travers ses pièces, à une véritable confession dramatique : "Maintenant, je vous en prie, écrit-il à un de ses correspondants, lisez mes nouvelles pièces uniquement comme telles ; c'est comme d'habitude une mosaïque de la vie des autres et de la mienne, mais ayez la bonté de ne pas y voir une autobiographie ou des confessions[1]." De telles déclarations, contredites par tant d'autres, sont de l'ordre de la dénégation. Il est par contre indubitable que la confession strindbergienne prend un tour paradoxal et qu'aussi bien au théâtre, "mosaïque de la vie des autres et de la (sienne)", que dans les récits (grâce à l'emploi du "Il" pour se désigner soi-même), elle accède à un statut *supra-personnel*. Cette particularité essentielle fait tout le prix du théâtre intime. Elle le démarque du nombrilisme. Elle explique également l'admiration que Kafka, cet autre écrivain de l'intimité ouverte au monde, porte à l'œuvre de Strindberg : "Là où le théâtre devient le plus fort, confiait Kafka à Janouch, c'est quand il rend réelles des choses irréelles. Le plateau alors devient un périscope de l'âme, il éclaire la réalité par l'intérieur (...). Comment pourrait-on trouver l'autre, si l'on se perd soi-même ? L'autre – c'est-à-dire le monde dans toute sa magnifique profondeur – ne s'ouvre que dans le silence[3]."

L'Intima Theatern, ce théâtre "presque sous terre", sera la dernière demeure de Strindberg, sa "maison silencieuse". Lieu resserré (cent soixante places en regard d'une scène étroite et peu profonde) où prendre au piège l'univers entier. Lieu d'intimité avec soi-même et avec les spectateurs où *théâtre du moi* et *théâtre du monde* sont mis en tension. Dans son Théâtre intime, Strindberg prétend aborder des "sujets restreints", mais il souhaite y faire représenter *Le Songe*, œuvre cosmique s'il en est, et ne cesse de se référer à Shakespeare. C'est que, dans son apparente exiguïté, le Théâtre intime de Strindberg peut contenir tout ce qui au monde est essentiel. "Le monde est grand, dit un poème de Rilke, mais en nous il est profond comme la mer."

Théâtres de l'intime

L'intime se définit comme ce qui est le plus au-dedans et le plus essentiel d'un être ou d'une chose, en quelque sorte *l'intérieur de l'intérieur*. L'intime diffère du secret en ce sens qu'il n'a pas vocation à être celé mais, au contraire, tourné vers l'extérieur, éversé, offert au regard et à la pénétration de cet autre qu'on a choisi. La double dimension de l'intime témoigne d'ailleurs de sa disposition à se donner en spectacle (sous des conditions, il est vrai, restrictives) : d'une part, relation avec le plus profond de soi-même et, d'autre part, liaison la plus étroite de soi avec l'autre. Il y a même – si l'on pense au verbe *intimer* : "faire savoir avec autorité" – quelque chose de comminatoire, qui sied au tempérament de Strindberg, dans le concept d'intime. L'intimité peut être acceptée ou refusée, instaurée ou détruite, elle ne saurait être ignorée. Le Théâtre intime strindbergien établit avec son public un pacte sévère et contraignant – "Vous ne verrez ici que la vieille légende de la vie / Avec toutes ses faces et toutes ses horreurs aussi / Le bien et le mal, la grandeur et la petitesse / Intimement certes, mais avec confiance et gravité / L'on ne saurait toujours sourire / Et la vie n'est pas toujours gaie..." –, quand bien même il s'efforce de ménager ce public en lui concédant le confort de l'ombre : "Quand le spectacle commencera, que le rideau sera levé / Sous plus de cent lumières nous serons mis à nu / Tandis que vous serez cachés dans l'ombre / Et vos sentiments comme vos regards seront protégés[1]." Si l'intime n'est pas le secret, sa révélation n'en donne pas moins lieu, comme celle de la face divine du Christ au mont Thabor, à un devoir de silence : "Ecoutez bien ma confidence, dit encore le poème inaugural, mais surtout taisez-la !" Le Théâtre intime part du silence et, après le bref intervalle de la représentation ("Ici nous abrégeons les souffrances / Avant dix heures du soir nous en aurons fini"), il retourne au silence.

L'intime ne saurait donc être systématiquement opposé, comme il arrive fréquemment, au spectaculaire. Car l'intime n'est, en vérité, qu'une profondeur feinte et que le plus subtil des effets de surface. En revanche, le théâtre intime participe d'une spectacularité strictement délimitée, et d'autant plus concentrée qu'elle est volontairement restreinte. Ne nous laissons pas non plus abuser par une apparente similitude : le théâtre intime, dans l'acception strindbergienne, se situe aux antipodes de tout théâtre *intimiste*. Celui-ci signifie resserrement, clôture, forclusion de l'action dramatique à la sphère ou à la barrière fantasmatique de la "vie privée", alors que celui-là implique une aspiration de l'extérieur, aussi bien social que cosmique, par l'intérieur, par l'espace du dedans. On serait tenté de reprendre, à ce propos, l'opposition établie par Brecht entre naturalisme et réalisme : le théâtre intimiste, tout comme le naturalisme vu par Brecht, serait un art de la "discrétion" et le théâtre intime un art de l'"indiscrétion". Jamais dramaturge ne fut plus indiscret que Strindberg. En cela, il échappe totalement à la critique brechtienne du naturalisme. Question d'attitude face à ce "quatrième mur" fondamental dans l'esthétique naturaliste : feint-on de considérer, sur la scène et dans la salle, qu'il continue d'exister alors même qu'on l'a enlevé, et l'on a affaire à un théâtre intimiste ; joue-t-on pleinement de son absence – ou de sa transparence – que l'on se situe dans la perspective du théâtre intime. Le regard de Strindberg est celui, antique, des origines du théâtre : la *teichoskopia,* vision à travers les murs. Il détient le pouvoir de transpercer, voire d'abattre ce fameux "mur de la vie privée" qu'a élevé l'individu moderne dans l'espoir fallacieux de se couper et de se préserver, lui et sa famille, d'une vie publique jugée décevante ou inquiétante. Le théâtre intime, qui est tout exposition, tout frontalité, ne cesse de dénoncer ces retranchements illusoires. Asmodée soulevait les toits des maisons afin d'espionner les intérieurs. Strindberg, lui, dévoile brutalement l'intimité des gens en faisant tomber les murs *(La Maison brûlée)* ; il nous donne à voir ce qu'il y a "derrière la façade", et jusque dans les placards *(La Sonate des spectres).*

Maeterlinck, dont on sait l'influence qu'il a pu avoir sur le Strindberg des "pièces de chambre", met lui aussi fortement en résonance, au point de provoquer un ébranlement, voire un effondrement, de l'intimité familiale, l'intérieur et l'extérieur. La maison maeterlinckienne, comme la strindbergienne, est la cible d'un cyclone cosmique dont l'œil tranquille serait la mort et qui, aux derniers instants de la pièce, va la faire voler en éclats. Dans des œuvres comme *L'Intruse* et *Intérieur,* la catastrophe dramatique prend l'aspect d'un cataclysme naturel qui, avant de frapper et de délivrer son message de mort – la mère de famille décédée dans sa chambre, l'enfant noyé –, s'infiltre insidieusement à travers les fissures de la maison (froid qui entre, "bruit d'une faux qu'on aiguise au-dehors", lampe "inquiète" "qui palpite" et "s'éteint tout à fait" dans *L'Intruse*) ou bien se rassemble à la porte (communauté villageoise se décidant, à l'extrême fin d'*Intérieur,* à apprendre à la famille quiète qu'un de ses enfants, une fillette, tel le Petit Eyolf, est mort noyé...). Dans le théâtre de Maeterlinck aussi bien que dans celui de Strindberg, l'intime ne se manifeste dans son essence que sous la pression du cosmique. "Au fond, écrit le poète belge, on trouve (dans mon théâtre) l'idée du Dieu chrétien, mêlée à celle de la fatalité antique, refoulée dans la nuit impénétrable de la nature, et, de là, se plaisant à guetter, à déconcerter, à assombrir les projets, les pensées, les sentiments et l'humble félicité des hommes[4]."

Le théâtre intime suppose cette conflagration du petit et du grand, du microcosme et du macrocosme, de la maison et de l'univers, du moi et du monde. La "scène d'intérieur" est hissée sur le "théâtre du monde", l'intimité exhaussée et ainsi portée à un niveau cosmique, comme un peu plus tard chez Claudel. A propos de *Revenants* d'Ibsen, Maeterlinck a employé une formule qui pourrait s'appliquer à tout théâtre intime : "Eclate, dans un salon bourgeois, aveuglant, étouffant, affolant les personnages, l'un des plus terribles mystères des destinées humaines." Sans pour autant souscrire à l'idéalisme ou au "symbolisme" de Maeterlinck, on est obligé d'admettre que le théâtre d'un Ibsen – voire d'un Strindberg – ne se limite pas à l'exposition diurne et à la claire analyse d'une scène conjugale ou familiale, qu'il en appelle aussi à ces puissances nocturnes dont Maeterlinck faisait le révélateur de toute intimité.

Celui qui veut nous donner à voir l'intérieur doit lui-même se situer sur le seuil, en ce lieu symbolique d'où l'intimité prend forme. J'ai comparé Strindberg à l'Alcandre de Corneille ; mais Alcandre n'est pas sans nous rappeler le Prospero de *La Tempête* ; et cette généalogie, qui passe par l'Auteur du *Grand théâtre du monde* de Calderon, ne tarderait pas à nous ramener à Dieu lui-même, ordonnateur suprême et spectateur unique du *theatrum mundi*. L'auteur du théâtre intime tient du démiurge ; son moi paraît d'autant plus dilaté qu'il se penche sur un monde – celui de l'intime – apparemment étriqué. Il existe toutefois entre le moi de l'"Auteur souverain" (qui, dans *Le Grand Théâtre du monde* de Calderon, gouverne une compagnie de personnages allégoriques, au premier rang desquels le "Monde" en personne) et le moi strindbergien une différence fondamentale, liée à un changement de régime du théâtre : si le théâtre intime devait mettre en scène ce qu'il métaphorise, l'*esprit* alors se substituerait au monde. Passage, celui-là même de la modernité, du *theatrum mundi* au *theatrum mentis*. "L'esprit, note Hume, est une sorte de théâtre où diverses perceptions font successivement leur apparition ; elles passent, repassent, glissent sans arrêt et se mêlent en une infinie variété de conditions et situations[5]." Rupture philosophique qui entraîne un nouveau statut du théâtre : le théâtre intime n'engendre une dramaturgie de la subjectivité que parce que l'esprit, justement, y subsume le monde. Au temps du *theatrum mundi*, la vie humaine était représentée par une action dramatique suivie ; la caractéristique de l'ère nouvelle, celle du *theatrum mentis*, c'est de ne faire apparaître cette même vie humaine qu'à travers une série d'associations subjectives et d'actions fragmentaires où l'onirisme prend une large part. D'où la scission du personnage strindbergien entre "rêveur" et "rêvé" – ainsi que la partition, établie par Szondi, entre "moi épique" et "moi dramatique". D'où ce mixte de subjectivité et d'objectivité qui s'impose soudain au théâtre.

Ce "moi épique", dont nous avons déjà décelé la présence chez Strindberg et O'Neill et que nous retrouverons dans mainte dramaturgie plus récente, correspond à une irruption subversive du "Je" au théâtre. Cependant, étant un moi "narrateur", dédoublé ou non sur la scène en moi dramatique, il prend une dimension supra-personnelle. La subjectivisation du drame ne saurait donc être assimilée à quelque "privatisation" ou déviation égocentrique que ce soit. Pas plus qu'il n'est intimiste le théâtre intime n'est individualiste. "Un sentiment paisible qui dispose chaque citoyen à s'isoler de la masse de ses semblables et à se retirer à l'écart avec sa famille et ses amis ; de telle sorte que, après s'être ainsi créé une petite société à son usage, il abandonne volontiers la grande société elle-même" : cette parfaite définition de l'individualisme par Tocqueville ne correspond en rien au moi qui est à l'œuvre dans ce théâtre intime. Moi hardi et aventurier, son terrain d'aventure est le monde :

"Le Moi, écrit Ernst Bloch[6] doit rester présent en toutes choses ; même s'il s'aliène d'abord en toutes choses, s'il se meut à travers toutes choses sans s'y appesantir, pour ouvrir le monde, pour avant tout se porter lui-même à des milliers de portes, il n'en demeure pas moins que le meilleur fruit, le seul but du système est le Moi qui désire, qui exige le monde inentamé que postule son *a priori* ; et c'est en définitive pourquoi Kant dépasse Hegel, aussi sûrement que la psyché dépasse le pneuma. Le soi l'emporte sur Pan, l'éthique sur l'encyclopédie universelle, le nominalisme moral de la fin sur le réalisme encore à demi cosmologique de l'idée hégélienne de monde. L'objectif serait alors atteint si l'on parvenait à unifier ce qui ne l'a jamais été totalement jusqu'ici : le discours clair et la prophétie, l'âme et le tout cosmique de telle sorte que l'âme dépasse, illumine le vaste monde, mais sans rester étriquée, sans se réduire à un idéalisme subjectif ou encore humain. Il faut bien plutôt, à la fin du discours, de la rencontre avec soi-même et avec le Nous, entreprendre avec encore plus de raison la marche vers le monde. C'est pour elle seule que se produit la rencontre avec soi ; non pas pour que nous nous perdions dans le monde, mais pour que nous anéantissions son immensité trompeuse et obscure, afin de la muer en monde de l'âme, avec le constant souci du problème du Nous, au début comme à la fin."

Le "Je" s'est imposé en littérature, au milieu du XVIIIe siècle, à la faveur de ce que l'on peut aujourd'hui appeler "la naissance de l'intime". Chez Rousseau, qui proscrivait le théâtre, mais aussi chez Diderot, qui fut le héraut de la dramaturgie moderne : "Comment ? écrivait ce dernier à Sophie Volland, un astronome passe trente ans de sa vie au haut d'un observatoire, l'œil appliqué le jour et la nuit à l'extrémité d'un télescope pour déterminer le mouvement d'un astre, et personne ne s'étudiera soi-même, n'aura le courage de tenir un registre exact de toutes les pensées de son esprit[7] ?" Réinventant le théâtre à l'époque de l'avènement des valeurs *domestiques*, Diderot dessine pour les siècles à venir le nouveau périmètre du théâtre ; dans ce cercle s'inscrit un triangle dont les sommets se nomment le *moi*, la *maison* et le *monde* et qui délimite l'aire de tout théâtre de l'intime.

La maison et le monde

La mutation de la forme dramatique, au tournant du siècle dernier, trahit une crise de l'intérieur, une crise de la maison et de ses habitants. Pour un Bachelard, dont la méditation vise à exprimer tout le possible du bonheur humain, la maison, qui est "un cosmos dans toute l'acception du terme", se présente comme le "grand berceau" de l'intimité[8]. Nous avons cependant constaté, à l'étude des dramaturgies d'Ibsen, Strindberg et O'Neill, que la maison pouvait aussi ressembler à un sépulcre et saisir d'un froid mortel ceux qu'elle était censée abriter. A la vision optimiste de la vie domestique qui prévalait au siècle des Lumières – l'espace privé bourgeois représentant alors le lieu où se prépare la réforme de l'espace public –, se sont peu à peu substitués désenchantement et pessimisme. Devenues une fin en soi et non plus le moyen d'une transformation morale de la société, l'existence domestique et l'intimité qu'elle engendre s'avèrent une source de malaise, d'ennui, d'hypocrisie et de conflits larvés. Si l'on en croit certains auteurs de l'époque naturaliste et, tout particulièrement, le Becque de *La Parisienne* et des *Corbeaux*, l'éden s'est métamorphosé en enfer. Cette dégradation de l'espace domestique atteindra son paroxysme avec *Huis clos* de Sartre où l'enfer, précisément, est représenté par "un salon style Second Empire"...

Mais le grand dramaturge de cette crise de l'intérieur, à un moment où elle est encore ouverte et informulée, c'est évidemment Tchekhov. De l'ensemble des pièces de ce dernier, on pourrait dire que le personnage principal est sinon la maison du moins la *maisonnée* : "Rappelez-vous, écrivait Tchekhov à Meyerhold, que de nos jours presque tout homme, même le plus sain, n'éprouve nulle part une irritation aussi vive qu'à la maison, dans sa propre famille, car la dysharmonie entre le passé et le présent est d'abord ressentie dans la famille. C'est une irritation chronique, sans emphase, sans attaques convulsives, une irritation que ne remarquent pas les visiteurs, mais qui pèse de tout son poids au premier chef sur les personnes les plus proches – la mère, la femme –, c'est une irritation pour ainsi dire intime, familiale[9]." Le drame de l'intimité n'a point d'autre programme, chez Tchekhov, que de mettre en exergue cette irritation domestique.

"En quoi une maison de fous est-elle différente de toutes les autres maisons ?" se demande Chabelski dans *Ivanov*. Les personnages tchékhoviens interpellent sans relâche ces dieux lares qui semblent s'être retournés en dieux vengeurs : "A la maison, il étouffe, n'est-ce pas, il se sent à l'étroit. Il lui suffirait de rester à la maison un seul soir, pour s'envoyer une balle dans la peau", remarque à propos d'Ivanov le jeune médecin Lvov. "Il me semble que je n'aurais pas pu vivre dans votre maison, dans cette atmosphère, au bout d'un mois, j'aurais été asphyxié", déclare Astrov à Sonia dans *Oncle Vania*, confirmant ainsi l'impression qu'Elena Andréevna confiait à Vania au deuxième acte de la pièce : "Il y a quelque chose qui cloche dans cette maison. Votre mère déteste tout ce qui n'est pas ses brochures et le professeur ; le professeur est irrité, n'a pas confiance en moi, a peur de vous ; Sonia en veut à son père, m'en veut à moi, et ne me parle plus depuis deux semaines ; vous, vous haïssez mon mari, et méprisez ouvertement votre mère ; je suis énervée et, aujourd'hui, j'ai déjà essayé de pleurer une vingtaine de fois. Il y a quelque chose qui cloche dans cette maison." C'est en fait Sérébriakov, professeur à la retraite et époux d'Elena, qui cerne le mieux ce pouvoir maléfique, dont, menacé d'un pistolet par Vania, il a failli devenir la victime : "Je n'aime pas cette maison. On dirait un labyrinthe. Vingt-six énormes pièces, les gens se dispersent là-dedans et on ne sait jamais où les chercher (...). J'ai le sentiment de me trouver sur une autre planète."

De ce labyrinthe, quel est le Minotaure ?... Astrov détient la réponse à cette question : "La sordide vie quotidienne" qui "nous a engloutis" et "de ses émanations pourries (...) a empoisonné notre sang". La maison est l'antre de cette vie quotidienne aveugle, spasmodique, baignée de vapeurs d'alcool et ponctuée d'agacements, de vertiges, de malaises, d'évanouissements, de pleurs sans raison apparente ou de rires inexplicables. D'où ce moi fugueur et infantile qui caractérise la plupart des personnages de Tchekhov : Platonov multipliant les abandons du foyer conjugal pour aller parader, provoquer et séduire chez Anna Petrovna ; Ivanov désertant la maison où sa femme est mourante et tentant de s'éblouir dans celle des Lebedev (à Sacha : "Ma maison m'est odieuse, y vivre est pour moi une torture") ; Nina attirée comme un papillon par la lumière théâtrale qui baigne la demeure des

Sorine ; Verchinine hantant la maison des sœurs Prosorov pour essayer d'oublier le sordide appartement où il vit en compagnie de ses enfants et de son épouse suicidaire... Velléités de fuite : si le lieu tchékhovien paraît moins clos et plus perméable à l'espace social que le lieu ibsénien, le moi tchékhovien, lui, est peut-être encore plus emmuré dans l'univers domestique que le moi ibsénien : "Je n'ai pas le courage d'aller jusqu'à cette porte et vous me parlez d'Amérique", rétorque Ivanov à Sacha qui lui proposait de partir pour le Nouveau Monde avec elle.

Certes, il y a deux maisons chez Tchekhov : l'une *fermée* et strictement conjugale ou familiale (la petite maison de Platonov, celle d'Ivanov, celle où Nina subit la férule de son père et de sa belle-mère, l'appartement sordide de Verchinine, etc.) ; l'autre *ouverte*, où règne une apparente convivialité, comme chez les Voïnitzev, les Lebedev, les Prosorov ou dans cette demeure qu'entoure la fameuse "cerisaie". Mais la différence est essentiellement subjective et, sous le regard du moi tchékhovien, la sociabilité et la convivialité de la maisonnée s'évanouissent et laissent place à un incoercible sentiment d'isolement : Vania ne voit pas dans l'espace où il vit cet immense labyrinthe qu'évoquait Sérébriakov mais une taupinière ("Pendant vingt-cinq ans, je suis resté avec cette mère à moi, entre ces quatre murs, comme une taupe..."). Quant à Macha, dans *Les Trois Sœurs*, elle persiste, alors même que la maison est fréquentée quotidiennement par les officiers de la garnison, "à se croire au désert". D'ailleurs, la maison tchékhovienne – dont le paradigme est, bien entendu, la propriété de Lioubov Andréevna Ranevskaïa dans *La Cerisaie* – subit un déclin qui affecte chacun de ses habitants. La maisonnée entière est la proie de ce "démon domestique" qui "étrangle" Vania "jour et nuit". Le moi est sous la menace d'une double dépossession : de la propriété, et de lui-même.

En d'autres termes, la maison et le monde ne sont pas communicants. Plus ces personnages provinciaux parlent de quitter la maison et de partir pour Moscou, pour Paris, pour l'Amérique, moins ils nous paraissent croire à cet espace extérieur qu'ils appellent de leurs vœux. Chacun, ou presque, pourrait reprendre à son compte le leitmotiv radoteur du vieux médecin militaire des *Trois sœurs* : "Nous n'existons pas, rien n'existe dans ce monde"... Et si le monde est ainsi réduit à des limbes, c'est qu'il est devenu, par cancérisation autour de la maison, entièrement *domestique* : "Le monde va à sa perte, dit un personnage d'*Oncle Vania*, non pas à cause des incendies, mais à cause de la haine, de l'inimitié, de toutes ces petites histoires sordides." A partir de ces chandelles intempestivement allumées et de ces fourchettes traînant sur un banc qui perturbent tant la Natacha des *Trois sœurs*, la maison produit une irritation exponentielle qui envahit le monde. Plus encore que le paradis perdu ou l'enfer, la maison tchékhovienne évoque le purgatoire. Un séjour d'attente indéfinie dans lequel la vie quotidienne serait rongée par la distraction et le divertissement au sens pascalien (sur ce point, Tchekhov annonce Beckett et Thomas Bernhard). L'étendue qui isole la maison du monde ne se mesure pas en kilomètres – ou en verstes – mais en années, voire en siècles. Sur le mode millénariste, la maisonnée attend une délivrance, une Rédemption, des temps heureux – généralement pour "dans deux ou trois siècles" ! – et ne fait ainsi que confirmer son incurable apathie. André, dans *Les Trois Sœurs* : "Le présent est dégoûtant, mais quand je pense à l'avenir, comme tout devient merveilleux ! On se sent léger, on se sent au large et on voit au loin luire une lumière... Je vois la liberté, je nous vois, mes enfants et moi, libérés de l'oisiveté, de la limonade, de l'oie aux choux, du sommeil après dîner, de la basse fainéantise..."

A l'opposé des personnages d'Ibsen, ceux de Tchekhov sont moins captifs du passé que d'un futur en trompe-l'œil dont ils entretiennent l'illusion et qui les incite à une permanente conduite de mauvaise foi. Le seul remède à cette mortelle ankylose, qu'entrevoient les plus lucides des êtres tchékhoviens, c'est l'anti-divertissement par excellence, le *travail*, envisagé avec une double connotation messianique (changer les conditions sociales de la Russie) et expiatoire (faire oublier la dilapidation, au sein de la maisonnée, d'un formidable capital d'amour, d'énergie et d'intelligence). Lorsqu'il oublie et l'alcool et son amoureuse fascination devant Elena Andréevna, Astrov redevient – sous le regard de Sonia – l'homme qui "soigne les malades" et "plante des arbres"... Promesse d'un réancrage du moi dans le monde, d'une projection de la conscience tchékhovienne hors de la maison, dans l'espace social et historique de la Russie. Fragile espoir, incarné par le couple Annia-Trofimov, sur lequel tombe une dernière fois le rideau du théâtre de Tchekhov :

"ANNIA. Qu'avez-vous fait de moi, Petia, pourquoi est-ce que je n'aime plus notre cerisaie, comme je l'aimais avant ? Je l'aimais si tendrement, il me semblait que sur toute la terre il n'y avait pas d'endroit plus beau que notre jardin.

TROFIMOV. Toute la Russie est notre jardin. La terre est vaste et belle, et on y trouve beaucoup de lieux admirables."

"ANNIA. La maison que nous habitons n'est plus notre maison à nous depuis longtemps, et je la quitterai, je vous en donne ma parole.

TROFIMOV. Si vous détenez les clés de maîtresse de maison, jetez-les dans le puits, et partez. Soyez libre comme le vent."

Tout comme l'ibsénienne et la strindbergienne, la dramaturgie tchékhovienne s'émancipe de la notion naturaliste de "milieu", mais elle tend néanmoins à affirmer la primauté de cette entité collective qu'est la maisonnée sur le moi. Autant dans *Platonov* le protagoniste restait la conscience centrale de la pièce, autant *La Cerisaie* laisse, et déjà par son titre, le champ libre à une évidente choralité. Mais le génie de Tchekhov tient justement à ce que jamais le moi n'écrase le monde ni le monde le moi. Dans *La Cerisaie*, aucun personnage de la constellation dramatique n'est un "figurant", chacun au contraire devient à un moment le protagoniste de la pièce, même le vieux Firs, même Charlotta ou le trio Epikhodov-Douniacha-Yacha.

Est-ce le génie dramatique, l'art de la composition, qui fait défaut dans les œuvres plus strictement naturalistes d'un Gerhardt Hauptmann ? Ou bien les faiblesses dramaturgiques – manque de relief des personnages traités comme de simples excroissances du "milieu", choralité nivelante – des *Tisserands* sont-elles la rançon du zèle social de son auteur ? Répondre à cette question, c'est rechercher le point d'application du théâtre intime hauptmannien sur ce drame social. *Les Tisserands*, pièce en laquelle on peut voir un prototype de théâtre épique, narre la révolte des tisserands de l'Eulengebirge en 1840. L'affrontement entre les tisserands, travailleurs à domicile surexploités, et les fabricants prend, dans cette pièce, l'allure toute büchnérienne de la lutte à mort des "chaumières" contre les "châteaux", autant dire du pot de terre contre le pot de fer : affamés, les révoltés sortent en masse de leurs misérables logis – qui "est notre bagne" – pour détruire, incendier, piller la maison de leurs exploiteurs, jusqu'à ce que, au cinquième acte, leur mouvement soit réprimé par l'armée et noyé dans leur sang. Parmi ces pauvres habitations-lieux de travail des tisserands, il en est une qui a un statut particulier : celle, justement au dernier acte, du Vieux Hilse, figure que Gerhardt Hauptmann a composée en pensant à son propre grand-père. Par rapport au déroulement épique des actes précédents, où les tisserands s'expriment choralement comme les *récitants* de leurs conditions sociales (comme s'ils répondaient à une interview dont l'auteur ou les spectateurs auraient l'initiative), ce cinquième acte marque un arrêt, un changement de régime théâtral. L'ultime "tranche de vie" s'organise comme une pièce quasi autonome, un drame intime sur fond de drame historico-social.

Le Vieux Hilse, qui ne connaît que son devoir de tisserand et l'espérance d'une autre vie après la mort, s'oppose à son fils et, surtout, à sa bru Louise et veut leur interdire de rejoindre les insurgés ; or, c'est lui qui, toujours à son métier à tisser, tombera le premier sous la mitraille.

"LE VIEUX HILSE *(tout tremblant, mais contenant sa rage).* Et toi, tu prétends êt' une femme comme y faut ! Eh ben, j'vais t'dire que'que chose, moi : on peut pas êt' une bonne mère, quand on dit des horreurs comme t'en dis. Comment qu'tu veux faire la leçon à ta fille, après qu't'as excité ton homme à des abominations ?

LOUISE *(hors d'elle-même).* Avec tous vos discours bigots... c'est ça qui m'a empêchée d'élever mes enfants. Tous les quat' sont restés à s'languir ed'misère..."

Ici, dans la "chambre-atelier" des Hilse, la maison-bagne est un espace mixte, à la fois public et privé, et le domestique se trouve entièrement surdéterminé par le social. Mais, dans ce drame d'une intimité qui implose sous l'effet de la lutte des classes, le jeu de la maison et du monde n'en est que plus ouvert et plus expressif. A cet égard, le cinquième acte des *Tisserands* représente à la fois la force et la faiblesse de l'œuvre : il abâtardit la pièce, qui renonce sur la fin à son ampleur épique ; mais il lui confère une puissance, une concentration et un sens dramatique que ne possédait aucun des actes précédents. En cet acte final, le moi épique ne dévore pas le moi dramatique ; il coexiste avec lui. Si un Brecht, quelques dizaines d'années plus tard, avait adapté la pièce de Hauptmann, nul doute qu'il n'aurait pas cantonné le Vieux Hilse au seul dernier acte, qu'il aurait fait de ce dernier une conscience mystifiée équivalente à sa Mère Courage.

D'un naturalisme adouci par rapport aux *Tisserands, Le Voiturier Henschel*, pièce postérieure de Hauptmann, traite également de la fin d'une maison. Maison composite que l'"hôtellerie du *Cygne gris* dans une petite ville d'eau de la Silésie en 1860" : le voiturier Henschel, le propriétaire Siebenhaar, le cabaretier Wermelskirch et leurs familles respectives, mais aussi la vie privée et la vie publique, commerciale et sociale, se croisent et s'entremêlent en ce lieu. Propriétaire ruiné, cabaretier chassé par un autre plus entreprenant, voiturier devenu fou et se croyant hanté par sa première épouse décédée dans des conditions suspectes : la maison a anéanti tout son monde. Le foyer s'est éteint. Le moi a perdu son intimité. Il est sans refuge dans le monde.

Le moi divisé

Le théâtre intime requiert un espace d'autant plus restreint que son immensité est tout intérieure. L'immensité intime est celle du microcosme lorsque, se dilatant à l'extrême, il recueille en lui le macrocosme – celle de l'homme qui libère son univers intérieur. La maison est encore trop vaste pour contenir cette extension infinie, et le corps, physiquement dispersé, trop périphérique. Seule la psyché, en son apparente étroitesse, peut rivaliser avec l'étendue sans limites du monde. Le moi absorbe le cosmos – dont il réduit le mouvement à sa propre immobilité – et retourne le visible en invisible. Le théâtre intime défie la représentation en ce qu'il ne donne forme qu'à ce qui reste à jamais hors de portée de tout regard extérieur. *L'Axel* de Villiers de l'Isle-Adam a ouvert cette scène quasi immatérielle où le moi-protagoniste pouvait traverser (ou être traversé par) plusieurs mondes : "religieux", "tragique", "occulte", "passionnel" et (dans le projet de Villiers, dont l'œuvre est inachevée) "monde astral". Parmi les curiosités du théâtre symboliste, il y a aussi *Madame la mort,* cette pièce de Rachilde, qualifiée de "drame cérébral" par les contemporains, qui, au second acte, se déroule entièrement dans le cerveau d'un agonisant. Mais c'est Maeterlinck qui, dans une pièce qu'il qualifie lui-même de "drame intime", *Les Trois Justiciers,* tient la gageure de nous introduire "dans les profondeurs de l'homme. Grottes illimitées, basaltes et cristaux". Le personnage principal de cette œuvre, qu'on ne saurait voir – "qu'on ne voit pas", nous dit la liste des personnages –, c'est la conscience de Salomon, le juge perverti, "alitée derrière (un) rideau. Elle ne peut se lever, elle est gravement malade". Avec ses trois "justiciers", figures allégoriques des instances de la conscience de Salomon – l'Ombre rebelle, Saute-au-ciel et File-tout-nu ("normalement (...) transparent. On ne l'aperçoit que lorsqu'il est vêtu") –, le "drame intime" de Maeterlinck ressemble à un "théâtre du monde" à la Calderon. Mais c'est en cela, justement, qu'il se situe en retrait du théâtre intime dans la définition moderne – *theatrum mentis* – qui est la nôtre. Le complot des trois justiciers vise à amender le mauvais juge et, dans ce but, à "faire rentrer en lui-même notre hôte criminel", à l'obliger à réintégrer sa conscience ; or, la caractéristique du moi strindbergien – mais aussi bien ibsénien, tchékhovien ou, plus tard, pirandellien –, c'est, précisément, que ce *for intérieur,* postulé par des siècles de philosophie chrétienne, est à jamais introuvable et inhabitable. Si Maeterlinck peut être considéré comme un pionnier de l'exploration, au théâtre, de l'inconscient, son œuvre n'en bute pas moins sur cette postulation d'une conscience morale qui aurait le dernier mot et sur cette restauration, au-delà des épreuves intimes, d'un moi unifié. A l'heure de la théorie freudienne de l'inconscient, l'avènement du véritable théâtre intime se fonde sur un moi en perpétuelle contradiction avec lui-même, un moi qui a renoncé à sa souveraineté et à son autarcie, un moi où la place irrémédiablement vacante du for intérieur crée un formidable appel du vide. Déchu de son intégrité, miné de l'intérieur, ce moi en chute libre se trouve, du même coup, distrait de sa relation avec l'autre au sein de la collision dramatique, détourné – ou retourné – vers lui-même, aspiré par sa propre béance. Dès lors, le drame ne se déroule plus principalement dans la sphère interpersonnelle, intersubjective – ce que Szondi appelle l'"entre-deux" –, mais dans une nouvelle sphère, intrapersonnelle et intrasubjective. Face à face sans médiation, confrontation, où sans cesse l'un se fond dans l'autre, du moi et du monde. "Le monde et le moi, écrit Robert Abirached, sont ainsi considérés comme des réalités inachevées, qui ne peuvent trouver de plénitude que l'un à travers l'autre, dans un équilibre toujours provisoire et toujours soumis à reconquête[10]."

Plutôt qu'"équilibre provisoire", je préfère dire entropie : perte progressive de l'énergie du moi – jusqu'à ce que l'acceptation de son propre morcellement lui permette, comme dans la strindbergienne "parthénogénèse de l'âme", de réinvestir le cosmos et de reprendre le monde à sa charge. Chez Tchekhov toutefois, où le moi du personnage reste distinct de celui de l'auteur, on n'assiste pas à cette recharge – ou à cette néguentropie – qui se produit chez Strindberg et le personnage, telle Macha dans *Les Trois Sœurs*, "porte le deuil de (sa) vie". Dans un singulier mélange d'incompréhension et d'hyperlucidité sur lui-même, le personnage tchékhovien n'en finit pas de prononcer l'oraison funèbre de son moi évanoui ou évidé. Platonov prétend qu'il aurait pu être Hamlet ou Dom Juan et pleure son âme "depuis si longtemps devenue squelettique, qu'il n'y a pas moyen de (...) ressusciter" ; et Ivanov ne s'interroge sur ce "meurtre psychique" à la Strindberg qu'il est en train de commettre sur la personne de son épouse que pour s'abîmer dans l'opacité de sa propre conscience : "Il est probable que je suis terriblement coupable, mais le désordre de ma tête est complet, mon âme est dans un étrange état d'engourdissement, et je suis incapable de me comprendre moi-même (...). Vous me dites qu'elle va bientôt mourir, et je ne ressens ni amour ni pitié, mais

Chk out a Library

seulement quelque chose comme un vide, une fatigue. Du dehors, cela doit paraître infâme ; quant à moi, je n'arrive pas à comprendre ce qui se passe dans mon âme." Le moi tchékhovien n'est pas sans évoquer celui de Kafka dans son *Journal* : "une fontaine à sec", "creux comme une coquille sur la plage, prête à être écrasée d'un coup de pied".

Dès son premier récit autobiographique, *Le Fils de la servante*, Strindberg développe le thème du moi en conflit avec lui-même, du *moi divisé* : "Son nouveau moi s'élevait contre l'ancien et ils vécurent toute sa vie durant en désaccord comme des époux malheureux sans pouvoir se séparer." De l'exposé de ce thème autobiographique sort directement la forme dramatique strindbergienne et, en premier lieu, la scène conjugale. Strindberg passe logiquement de ce constat du moi divisé à une mise en pièces de la notion de caractère : "Où était le *moi* ? Que pouvait être le caractère ? Il ne se trouvait ni ici, ni là, il était à la fois d'un côté et de l'autre. Le *moi* n'est pas quelque chose d'absolu, c'est une diversité de reflets, une complexité d'instincts, de désirs dont quelques-uns sont étouffés, d'autres déchaînés." Ce que l'écrivain avait observé sur lui-même, il allait ensuite l'appliquer à ses projections, à ses créatures de théâtre : personnages *sans caractère* au sens où le *kharacter* désigne, chez Aristote, la donnée la plus stable du personnage dramatique, celle qui lui confère son unité et sa stabilité, son empreinte personnelle. Psychologique – ou, plutôt, *psychique* – dans toutes ses fibres, le théâtre de Strindberg se place ainsi hors d'atteinte de tout *psychologisme* réducteur :

"L'âme de mes personnages (leur caractère) est un conglomérat de civilisations passées et actuelles, de bouts de livres et de journaux, des morceaux d'hommes, des lambeaux de vêtements du dimanche devenus des haillons, tout comme l'âme elle-même est un assemblage de pièces de toutes sortes" ; "Le caractère ne me paraît donc pas être une chose aussi stable qu'on aime à le prétendre. Et je ne me chargerai pas de faire un classement des caractères, les hommes ne pouvant se cataloguer. Chaque fois que je veux étudier un homme, je finis par trouver que l'objet de mon observation a l'esprit troublé. Tant la manière de penser et d'agir des hommes est incohérente quand on suit de près leur agitation intérieure. En notant jour après jour les idées qu'ils conçoivent, les opinions qu'ils émettent ou leurs velléités d'action, on découvre un vrai salmigondis qui ne mérite pas le nom de caractère. Tout se présente comme une improvisation sans suite, et l'homme, toujours en contradiction avec lui-même, apparaît comme le plus grand menteur du monde[11]."

En définissant son propre théâtre, Strindberg introduisait, sans le savoir, celui de Pirandello. Dans *On ne sait jamais tout*, qui forme, avec *Six personnages en quête d'auteur* et *Ce soir on improvise*, la trilogie dite du "théâtre sur le théâtre" et met en scène une représentation interrompue par un scandale (les personnages "réels" dont Pirandello est censé avoir transposé le drame "vécu" sont présents dans la salle), des personnages de critiques dramatiques se disputent précisément, durant un intermède, au sujet de la pulvérisation des caractères dont se serait rendu coupable le dramaturge sicilien : "Est-ce qu'il vous semble permis, je vous le demande, de détruire ainsi au fur et à mesure le caractère de ses personnages ?

— Tu me fais rire avec tes caractères ! Où est-ce que tu les trouves, dans la vie, tes fameux caractères ?"... Les personnages pirandelliens ne sauraient disconvenir que leur propre moi soit émietté, prismatique, caméléonesque et totalement rebelle à la notion de caractère. "Chacun souhaite, dit Diego dans *On ne sait jamais tout,* se marier pour toute la vie avec une seule âme, la plus complaisante, celle qui nous apporte en dot les possibilités les plus grandes de parvenir à l'état auquel nous aspirons ; mais ensuite, hors de l'honnête toit conjugal de notre conscience, nous avons continuellement des liaisons et des passades avec toutes nos autres âmes, celles qui sont reléguées au fond des souterrains de notre être, et de ces liaisons naissent des actes et des pensées que nous refusons de reconnaître ou que, si nous y sommes forcés, nous adoptons ou légitimons avec mille accommodements, mille réserves et mille précautions."

Tout le drame pirandellien est là : "Dans la conscience que j'ai, qu'a chacun d'entre nous, dit le Père des *Six personnages*, d'être «un» alors qu'il est «cent», qu'il est «mille», qu'il est «autant de fois un» qu'il y a de possibilités en lui... Avec celui-ci, il est quelqu'un, avec celui-là, il est quelqu'un d'autre !" Cette inlassable construction de soi-même sous le regard de l'autre, ce colmatage désespéré, cette façon de s'en remettre à l'autre pour prendre forme (en ce sens Pirandello est le dramaturge sartrien ; entendons : la philosophie sartrienne rend compte du drame pirandellien qui, lui-même, sert de modèle à la dramaturgie sartrienne) constitue la *souffrance* du personnage. Sous le masque sans cesse arraché et réajusté – masque de chair, "masque nu" –, l'être intime pirandellien n'est plus qu'une "plaie" qui craint d'être exhibée en sa nudité. "Je suis nue !" crie sans relâche, à ceux qui l'ont recueillie, Ersilia, la jeune femme désespérée et suicidaire de *Vêtir ceux qui sont nus*. Autour de ce dévoilement tragique d'une intimité à vif, d'une intimité retournée comme un gant vers l'extérieur ("Moi, je me débats et souffre – comment dire ? Comme à l'extérieur de moi-même !" proclame un personnage d'*On ne sait jamais tout*) s'organise le théâtre intime de Luigi Pirandello. Théâtre cruel s'il en est ; et d'autant plus cruel que cérébral. Comme dans cette scène quasi strindbergienne de "combat des cerveaux" et de "lutte des sexes" où Ersilia se trouve confrontée à son ancien amant le consul Grotti : "Prends garde, je peux tout dire, moi, à présent – ce que personne n'a jamais osé dire – je touche le fond, moi – la vérité des fous, je la crie – la vérité brute d'un être qui ne croit pas pouvoir se relever jamais, ne plus pouvoir jamais cacher sa honte intime !" Mettre ses personnages en situation de proférer l'indicible de leur blessure intime, c'est la gageure du théâtre pirandellien et son principe dynamique. Gageure, parce qu'une semblable révélation déroge, de par son caractère hégémonique et solipsiste, à la règle fondamentale du drame : le mouvement interpersonnel du dialogue et de l'action dramatiques. Principe dynamique, puisque, afin de relever ce défi, le dramaturge refond complètement – ou déconstruit – la forme dramatique… A la Belle-Fille de *Six personnages*… qui veut que l'on représente son drame – sa vision du drame et non celle du Père –, le Directeur "agacé" répond, en serviteur traditionnel du théâtre, qu'"il est inadmissible qu'un personnage vienne ainsi se mettre au premier plan et qu'il occupe la scène au détriment des autres (…). Je sais bien, moi aussi, que chacun d'entre nous a en lui toute une vie qui lui est propre et qu'il voudrait l'étaler au grand jour. Mais le difficile, c'est précisément de ne faire apparaître de cette vie que ce qui est nécessaire par rapport aux autres, et cependant, de faire comprendre par le peu qu'on laisse voir toute la vie demeurée secrète ! Ah, ce serait trop commode si chaque personnage pouvait dans un beau monologue ou... carrément... dans une conférence venir déballer devant le public tout ce qui mijote en lui !" Mais Pirandello invente justement une dramaturgie qui contourne cet interdit d'une intrasubjectivité sans frein.

De ce refus de l'extraversion de l'intime (que brandit ici le Directeur, mais qui peut aussi bien être le fait d'un "personnage", par exemple le Fils : "Ah, monsieur, ce que je ressens, je ne peux pas et ne veux pas l'exprimer. Je pourrais tout au plus le dire en confidence, mais cela, je ne voudrais même pas le faire à moi-même. Ce qui, vous le voyez bien, ne peut donner lieu à la moindre action de ma part.") le maître en ironie qu'est Pirandello va faire l'instrument du dévoilement de l'intime. La figure rhétorique et poétique de la *prétérition* – "feindre de ne pas vouloir dire ce que néanmoins on dit très clairement, et souvent même avec force" – trame toute l'œuvre dramatique et marque l'avènement du théâtre intime de l'écrivain sicilien. Facilitée par le procédé du "théâtre sur le théâtre", la prétérition n'en est pas moins présente dans les autres pièces. Dans *Vêtir ceux qui sont nus,* grâce au personnage de l'écrivain Ludovico Nota, qui, ayant recueilli la malheureuse Ersilia et se croyant amoureux d'elle, prétend d'abord qu'il ne va pas écrire le roman d'Ersilia mais le vivre, puis, tout aussi débordé par le drame intime de "son" Ersilia que le Directeur par celui de "ses" six personnages, essaie vainement de se décharger de la responsabilité de l'inquiétante jeune femme. Dans *Henri IV,* par l'entremise de Donna Mathilda, de Belcredi et du jeune di Nolli, lesquels tentent imprudemment de faire reintégrer son propre moi à ce Carlo di Nolli qui, depuis dix-huit ans, a confondu sa personnalité avec celle de Henri IV d'Allemagne. Dans *La Volupté de l'honneur,* à travers Baldovino lui-même qui récuse la fonction de "mari de paille" qu'on lui avait assignée et prétend interpréter jusqu'au bout le rôle d'"honnête mari d'une femme honorable" et d'"honnête père" d'un enfant qui n'est pas le sien... Tous ces refus ou ces obstructions ne font d'ailleurs qu'un avec celui, premier, que Pirandello revendique dans la préface de *Six personnages en quête d'auteur* : "Pourquoi, me suis-je dit, ne pas représenter ce cas tout nouveau d'un auteur qui se refuse à faire vivre quelques-uns de ses personnages, nés vivants dans son imagination, et le cas de ces personnages qui, emplis désormais de vie, ne se résignent pas à demeurer exclus du monde de l'art ? (...) Le drame (de ces personnages) ne sera pas représenté. Ce qui le sera, c'est au contraire la comédie de cette vaine attente avec tout ce qu'elle a de tragique par le fait que ces personnages auront été refusés[12]."

Ici encore l'affrontement dialectique du moi épique et du moi dramatique engendre l'espace du théâtre intime. Baldovino, Ersilia, les "six personnages" sont des transfuges de la *rue* – autant dire du théâtre du monde – qui échouent sur la scène du théâtre intime non pas pour y vivre leur fait divers à travers une action dramatique au présent mais pour se le remémorer, chacun à la première personne, et en éprouver de loin en loin la reviviscence. D'où la dichotomie du drame pirandellien : d'une part, le drame vécu, *le drame antérieur*, qui ne sera pas représenté ; d'autre part, ce que j'ai appelé *le métadrame*[13], sorte de reconstitution, entrecoupée de commentaires, de conjectures, d'hypothèses renvoyant à un point de vue intérieur et subjectif de chacune des parties prenantes. Le métadrame interrompt, fragmente, déchronologise le drame antérieur – ce sujet pour pièce naturaliste. Il ne l'abstractise et ne le dédramatise pas pour autant. Le poids du vécu reste, même s'il ne trouve son centre de gravité qu'en quelques figures privilégiées : les "six personnages" ou Ersilia, son amant et son fiancé dans *Vêtir ceux qui sont nus*. Ainsi s'effectue le passage – que j'ai nommé "théâtre intime" – entre une dramaturgie de l'intersubjectivité et une dramaturgie de l'intrasubjectivité.

A la faveur de cette opération, le microcosme dramatique fait l'objet d'une partition : d'un côté le drame "vécu" (et, comme le dit Baldovino, "quand quelqu'un vit, il vit et ne se voit pas"), traité par la prétérition ; de l'autre, le drame "réfléchi". Le spectateur du théâtre pirandellien ne perçoit le drame que filtré par la conscience spectatrice, rétrospective et spéculative du moi épique. L'auteur a imaginé une action (*drama*) mais cette action est différée et suspendue par son propre récit ou commentaire. En créant un tel dispositif – qui règle la distance nécessaire à la découverte de l'intimité du personnage et à la profération de la parole intime –, Pirandello ne fait que radicaliser une tendance déjà présente dans les dramaturgies de Strindberg, de Maeterlinck, de Tchekhov, voire de Schnitzler. Chez Strindberg, nous savons que certains personnages d'après la crise d'*Inferno*, telle Agnès du *Songe*, vivent et se regardent vivre en même temps. Chez Maeterlinck, la vie est plus nettement suspendue ; les personnages de *L'Intruse*, des *Aveugles* ou d'*Intérieur*, soit vigies soit messagers, sont saisis dans leur attente de délivrer ou de recevoir la Nouvelle : mort de la mère, du guide, de l'enfant. La scission du microcosme n'aura jamais été plus nette que dans *Intérieur* : au fond du théâtre, le moi dramatique pluriel de la famille, retranché dans sa maison silencieuse et que l'on ne devine qu'à travers les fenêtres ; à l'avant-scène, le moi épique, lui aussi collectif, de la communauté villageoise qui se rassemble et devise avec l'Etranger avant de remplir sa sinistre mission. Dans les pièces de Tchekhov, le microcosme dramatique n'est pas coupé en deux mais disjoint et éclaté de l'intérieur : par l'attitude somnambulique – pensive ou rêveuse – des personnages, leur propension au solipsisme ; par le dialogue qui n'est, en fait, qu'un ajointement de soliloques. Quant à cette curieuse pièce de Schnitzler, qui s'intitule *Au perroquet vert* et annonce à la fois Pirandello et Genet, elle met en regard théâtre intime et théâtre du monde, fiction et histoire. Le jour même de la prise de la Bastille, au cabaret du *Perroquet vert*, des acteurs improvisent les brigands et les filles de mauvaise vie devant un public aristocratique venu s'encanailler ; mais la fiction va rejoindre doublement la réalité : tandis que, devant la porte du cabaret, passe, au bout d'une pique, la tête de de Launay, gouverneur de la Bastille, l'un des acteurs tue d'un coup de poignard un spectateur, le duc de Carignan, qu'il soupçonne d'être l'amant de sa femme. La partition du microcosme dramatique confirme la division du moi et cette dualité désormais inévitable, au sein du drame moderne, du moi dramatique et du moi épique, le second ne cessant de pénétrer, de fouiller et de mettre en scène l'intimité du premier.

Le moi errant

Le moi mixte, qui produit l'intime et le donne en spectacle, est un *moi errant* auquel pourrait convenir la présentation que fait de Baldovino un autre personnage de *La Volupté de l'honneur* : "Il semblait n'être plus sur terre, mais dans un pays de songe, étrange, lugubre, mystérieux, où il se mouvait en maître, où les choses les plus bizarres, les plus invraisemblables pouvaient arriver et devenir normales et familières." Pour ce moi errant, dans l'intimité duquel s'engloutit le cosmos, le plus proche devient le plus lointain, et le plus lointain le plus proche. Chez Strindberg, la promiscuité conjugale creuse des distances infinies entre l'homme et la femme ; mais la télépathie amoureuse rapproche, jusqu'à la fusion, deux êtres que séparaient et le temps et l'espace. De même, plus tard, dans *Le Soulier de satin,* pour Rodrigue et Prouhèze, "les deux amants stellaires" de Claudel, qui "chaque année après de longues pérégrinations arrivent à s'affronter, sans jamais pouvoir se rejoindre d'un côté et de l'autre de la Voie lactée" : "Leur douloureux sacrifice sous leurs pas a produit des conséquences inépuisables, dont la terre n'est pas assez large pour parfaire les anneaux ; il faut que le Ciel et l'éternité y viennent ajouter les leurs. Conséquences directes et indirectes, proches et lointaines, les Quatre Journées ne sont pas assez larges pour en faire jouer tous les aspects[14]."

Or, ce moi errant tantôt à travers une société historiquement définie tantôt à travers un monde de "fantaisie", ce moi dans la lignée du Peer Gynt d'Ibsen et de l'Inconnu du *Chemin de Damas* aura été le creuset de toutes les (r)évolutions dramaturgiques depuis l'expressionnisme jusqu'au théâtre dit "de l'absurde", en passant par Claudel et par Brecht. Afin de mettre en scène cette errance du moi, le drame moderne renoue avec la très ancienne forme – elle puise jusque dans les représentations médiévales de la Passion et du chemin de croix – du "drame itinérant" ou de la "pérégrination dramatique". Station après station, Peer Gynt et l'Inconnu parcourent le monde ; mais ce voyage extérieur, avec ses allures de roman d'apprentissage ou picaresque, renvoie évidemment à un voyage intérieur du protagoniste, à la quête spirituelle sans fin de son introuvable moi. Au terme de son périple, Peer Gynt, vieilli, ne retrouve sa terre maternelle que pour achever de se perdre et de se dissoudre lui-même ; il se dépouille de ses identités successives, de tous les masques qu'il a pu porter sur la scène du monde, au gré de ses rares capacités d'affabulateur et, "tel l'oignon qu'on épluche", ne découvre que le vide là où son être intime était censé se nicher : "Inéluctable quantité de pelures. Le noyau va-t-il enfin paraître ! *(Il épluche toutes les pelures.)* Du diable s'il arrive ! Jusqu'au plus intime de l'intime, tout n'est que pelures – et de plus en plus minces." Quant à l'Inconnu, il n'est plus qu'un moi morcelé, explosé, en suspension dans le cosmos, avec pour seul vestige d'identité une souffrance générique qui le relie à l'ensemble du genre humain : "Où suis-je ? Où ai-je été ? Est-ce l'hiver, l'été ou le printemps ? Quel est ce siècle où je vis ? Et quelle est cette région du monde ? Suis-je enfant ou vieillard ? Homme ou femme ? Suis-je un dieu ou un diable ? Qui es-tu ? Es-tu toi ou es-tu moi ? Ce que je vois autour de moi, est-ce mes entrailles, ou bien est-ce des étoiles ou des réseaux de nerfs au fond d'un œil ? Est-ce de l'eau ou bien mes larmes ? Silence, voici que je viens de faire un bond de mille ans dans le temps, et je commence à me concentrer sur moi-même, à me rassembler, à me cristalliser ! Un peu de patience, et bientôt, pour la seconde fois j'aurai été créé et, jaillissant des eaux sombres du chaos, la fleur de lotus dressera la tête vers le soleil pour dire : c'est moi ! Je dois avoir dormi quelques millions d'années, et j'ai rêvé que j'explosais et me transformais en éther, je n'éprouvais plus rien, étranger à la douleur comme à la joie, j'étais entré dans le repos, j'avais atteint le parfait équilibre ! Mais maintenant ! Oh, maintenant ! Je souffre comme si j'étais – à moi seul – tout le genre humain."

Le moi errant n'est plus ici qu'une figure diaphane, un blason dans la trame cosmique, l'empreinte de l'humanité douloureuse sur le suaire du monde. L'illusion d'une résurrection, qui préside à la quête de l'Inconnu et va ponctuer toute la dramaturgie expressionniste, se retourne en la réalité d'une mort, d'une réabsorption par le giron maternel : "Ma mère, mon épouse, la femme sans péché ! / Cache-moi, cache-moi, cache-moi tout en toi !" implore, au bout de son long chemin, Peer Gynt, dans les bras de Solvejg. Le moi hypertrophié avait, tout au long de son errance, empli le théâtre du monde ; il reprend, avant de disparaître, ses plus petites dimensions. L'errance ouvre sur la mort, ce long voyage immobile ; elle s'achève, comme plus tard chez Beckett, par un retour à l'état inerte de la matière inanimée.

De cette dramaturgie du moi errant, l'expressionnisme reprend l'essentiel : l'arrachement (anti-naturaliste) de l'être humain à son "milieu" et la quête de soi-même à travers les étapes successives du *stationendrama*. Le tableau du banquet dans la taverne du *Chemin de Damas II* – où l'Inconnu est d'abord honoré et fêté comme le plus grand alchimiste du monde par une société savante, puis, cette dernière se métamorphosant en "ordre bachique", conspué, traîné dans la boue et, finalement, jeté en prison – constitue à cet égard le paradigme de la dramaturgie expressionniste. Il sert notamment de modèle au dernier tableau de *De l'aube à minuit* dans lequel le protagoniste de Kaiser, qui s'était réfugié parmi des pénitents dans un havre salutiste, voit ceux-ci se jeter sur son argent et la jeune femme qu'il prenait pour sa rédemptrice le dénoncer à des policiers assassins. Dans la pièce de Kaiser comme dans tout le théâtre expressionniste, le monde, représenté par une série de milieux tous plus vénéneux et inhumains les uns que les autres, dévore le moi auquel il ne reste plus qu'à exhaler sa dernière plainte ou son ultime cri : "Ecce homo". L'errance du protagoniste de *De l'aube à minuit* – un employé de banque qui dérobe une forte somme dans sa caisse pour la dilapider (alchimiste strindbergien au petit pied, il s'attaque lui aussi aux fausses valeurs de la société) – est une double dérive dans l'espace – de la "petite ville de W." à la "grande ville de B." – et dans le temps – "de l'aube à minuit". Elle permet la confrontation d'un individu “vagabond” avec ces espèces de conglomérats humains que sécrètent la banque, la famille, le vélodrome de la grande ville (“Voyez-moi ce groupe là-haut, dit le Caissier : cinq groupes de bras qui s'enlacent, cinq têtes sur une épaule. Une poitrine écrasée contre la balustrade par cinq paires de bras.”), le “bar-dancing” et le refuge de l'Armée du salut… L'hydre sociale étouffe l'individu qui a soudain décidé de ne plus faire corps avec elle. Le théâtre expressionniste s'engage dans une véhémente dénonciation individualiste de la société massifiée. Avec cet avantage, par rapport au naturalisme de naguère, que le moi errant du protagoniste constitue un point de vue extérieur, foncièrement polémique, sur les différents milieux traversés. En fait, le Caissier de Kaiser est beaucoup moins tourné vers lui-même et lové sur son être intime que tendu vers – ou contre – un monde déshumanisé. Pour un tableau où, marchant dans un paysage de neige avec arbre squelettique, le Caissier nous dit la métamorphose de son propre moi, combien d'autres où il nous désigne le spectacle affligeant de la société…

De mixte qu'il était (épico-dramatique), le moi errant tend à n'être plus qu'un moi épique ; le théâtre expressionniste n'emprunte en fait à la dramaturgie strindbergienne de la subjectivité qu'une forme évidée d'où le sujet lui-même, traité de façon expéditive ou simpliste, s'est quasiment retiré, et où le théâtre intime a la portion congrue. L'expressionnisme renverse le modèle strindbergien du “drame itinérant” : le théâtre du moi se retourne en théâtre du monde. Effet de bascule décisif dans la naissance du *théâtre épique*… Car Brecht, à son tour, reprend la forme léguée par ses prédécesseurs expressionnistes, en particulier Kaiser, et lui fait subir une formidable distorsion. Dès sa première pièce, *Baal*, qui se pose en parodie explicite du drame expressionniste[15], il liquide l'idéalisme et l'humanisme abstrait, bref tout l'aspect christique dont étaient saturées les œuvres expressionnistes. Contrairement au Caissier de Kaiser, Baal, le poète errant, lâche, violent, buveur, assassin, séducteur de toutes les femmes qui se présentent à lui et homosexuel, ne se convertira pas à l'angélisme. De ses premiers succès poétiques à sa mort, vers laquelle il avance "à quatre pattes", il se comporte comme une bête... Le personnage de Brecht évoque, certes, en un dernier chant, ce retour à la mère cher à Ibsen et Strindberg – "O vous, chassés du paradis et de l'enfer, / Vous meurtriers à qui tant de souffrance advint, / Pourquoi ne pas demeurer dans le sein de vos mères/ Où c'était calme et l'on dormait, on était là..." Mais ce moi extravagant, qui transforme sous lui toute vie en charnier, dévore monde, société et cosmos plutôt que d'être par eux dévoré : "Baal guigne vers là-haut les plus gras des vautours / Qui guettent dans le ciel le cadavre de Baal (...). Parfois il fait le mort. Un vautour fond dessus./ Et Baal, muet, mange un vautour pour son dîner." Si le héros expressionniste est "enfoncé jusqu'au ventre dans l'épaisse boue de la terre, tandis que le buste plane à travers le cosmos dans un bruissement d'ailes" et si "entre les deux moitiés du corps ne court qu'un mince cordon ombilical[16]", le Brecht de *Baal* a d'emblée tranché ce cordon et laissé disparaître dans la nue la partie aérienne. De *Baal* à *Schweyk dans la Deuxième Guerre mondiale,* en passant par *Dans la jungle des villes*, *Homme pour homme*, *Mère Courage et ses enfants*, le personnage brechtien est un moi errant qui, au lieu de s'arracher au monde pour devenir pur esprit, ne cesse de s'y réancrer profondément, le plus souvent malgré lui.

Conscience aliénée et décentrée, le personnage brechtien procède lui aussi d'un moi divisé, mais cette division, d'intrasubjective qu'elle était chez Strindberg, Tchekhov ou Pirandello, devient purement sociale et historique. Le personnage brechtien, tel que Bernard Dort en a dressé le portrait[15] ne possède pas d'autre unité que celle de ses contradictions ; il s'affirme de part en part comme un être public : le lieu géométrique des contradictions d'une société donnée. Sous le regard behavioriste de Brecht, des *gestus* – comportements des hommes entre eux –, point de *raptus* ou autres dérives psychiques. Aucun mur ni écran ne sépare plus la vie privée de la vie publique. La maternité de Pélagie Vlassova (*La Mère*) et celle de Mère Courage sont entièrement saisies par le processus historique, révolution de 1917 ou guerre de Trente Ans ; mieux, elles en sont le produit. A la limite, la dramaturgie épique de Brecht représente la négation de l'intime et de son théâtre : "Je m'intéresse moi-même assez peu aux choses privées (pour lesquelles, en outre, je ne dispose guère d'un mode de représentation qui me satisfasse)[17]", avouait d'ailleurs l'auteur de *Mère Courage*. Et il n'en va pas différemment pour Piscator, l'autre grand promoteur du théâtre épique, dont Brecht fut un temps le collaborateur : "ouvrir la chambre à la dimension du monde", tel était le mot d'ordre de celui qui se proclamait lui-même "ingénieur de la scène" et entendait, à grand renfort de projections cinématographiques, tapis roulants et "scène hémisphérique", élever dans ses spectacles les "scènes de la vie privée à la dimension historique", car "ce n'est pas le rapport de l'homme avec lui-même, ni son rapport avec Dieu qui est au centre, mais ses rapports avec la société. Partout où il entre en scène, entrent aussi sa classe et sa couche sociale[18]".

Dans le théâtre épique brechtien, le dramaturgique prend toutefois l'ascendant sur le scénographique et l'épicisation du théâtre est menée sur un mode plus subtil, moins "massif" et spectaculaire. Le moi épique ne cessant de prendre le relais du moi dramatique, et réciproquement, le personnage brechtien se constitue en récitant et en témoin de lui-même et des événements collectifs qui jalonnent son existence. De ce fait, même la scène la plus privée est traitée en "scène de la rue". Lorsque, dans le tableau intitulé "Le Mouchard" de *Grand-peur et misère du IIIe Reich*, le Père s'exclame : "Entre mes quatre murs, je fais les réflexions qui me plaisent. Dans ma propre maison, je ne me laisserai pas imposer le silence", tout l'art de Brecht, inventoriant le fascisme de tous les jours, consiste à nous faire comprendre qu'il s'agit là d'une parfaite antiphrase. "Le Mouchard" met en scène une scène de ménage entre des époux qui craignent d'être dénoncés par leur propre enfant – un garçonnet – pour propos subversifs ; mais, "déquotidiannisée" et historicisée, cette scène conjugale ne prend jamais un tour strindbergien : la dépense hystérique est à tout moment interrompue et convertie en une économie du politique. Processus que Walter Benjamin a érigé en modèle du traitement épique de la vie privée : "L'exemple le plus primitif (de théâtre épique) : une scène de famille. Tout à coup, un étranger entre.

La mère était justement sur le point de saisir une statuette en bronze pour la jeter sur sa fille ; le père sur le point d'ouvrir la fenêtre pour appeler un sergent de ville. A cet instant l'étranger paraît à la porte. «Tableau», comme l'on disait vers 1900[19]." L'étranger, ici, c'est bien entendu Brecht lui-même ; ou, plus précisément, ce regard politique brechtien qui "déprivatise" la scène intime et la hisse sur le théâtre du monde. A la relation de proximité, à la tension intersubjective – sans parler des tensions intrasubjectives, complètement absentes du théâtre épique –, Brecht substitue, grâce à sa pratique permanente de l'effet de distanciation, *l'éloignement généralisé* : écart d'un personnage par rapport aux autres – fussent-ils ses proches : père, enfant ou conjoint –, écart du personnage par rapport à lui-même, détour de toute relation, même affective, par l'ensemble du circuit socio-historique.

Le théâtre épique, même lorsqu'il ne prétend pas à la globalisation de la "scène hémisphérique" piscatorienne, même lorsqu'il se localise et limite l'errance du personnage, suppose, à l'instar de l'Annoncier de Claudel au début du *Soulier de satin,* que "la scène" du drame "est le monde". Dès lors, l'auteur du théâtre épique est amené à endosser, afin de donner une apparence concrète au moi épique, l'habit forain d'un "montreur de monde". Figures à la fois rouées et naïves que Brecht affectionne (cf. *La Résistible Ascension d'Arturo Ui* et tant d'autres pièces) autant que Claudel. Certes le moi épique brechtien parle un langage aux antipodes du claudélien. Il ne présentera pas au public "toutes les grandes constellations de l'un et l'autre hémisphères, la Grande Ourse, la Petite Ourse, Cassiopée, Orion, la Croix du Sud (...) suspendues en bon ordre comme d'énormes girandoles et comme de gigantesques panoplies autour du ciel" et ne se vantera pas de pouvoir "les toucher avec (sa) canne" *(Le Soulier de satin).* Mais le geste brechtien, s'il vise d'autres astres bien terrestres – les institutions sociales, politiques, économiques ou la "bête immonde" –, n'est pas foncièrement différent du claudélien. Celui qui *montre* – et renoue ainsi avec l'Auteur du *Grand théâtre du monde* – vise une cosmogonie, et cette cosmogonie peut être marxiste aussi bien que catholique.

Quant aux personnages qui font l'objet de cette montre, ils ne sauraient être considérés, à l'encontre de ceux de Strindberg et de tout théâtre intime, que de l'extérieur, sans autre prise en compte de leur intériorité. Au regard du personnage psychique strindbergien, voire de l'être humain ordinaire, le personnage brechtien ou le claudélien sont en quelque sorte des "monstres", des créatures de stature supra-humaine. Des "standards d'humanité", pense Claudel, des "personnages typiques", préfère dire Brecht, qui, dans ses *Journaux*, s'interroge ainsi sur le personnage de Galy Gay : "Me manque pour *Galgei* la figure de dimension exceptionnelle qui puisse porter la fable. D'innombrables figures se laissent introduire dans cette fable : il faut que j'aie la plus grande." Le personnage du théâtre épique, c'est *l'imago*. Une "imago" traitée très classiquement, comme l'exaltation, à travers une figure exemplaire, de vertus spirituelles par Claudel, notamment dans *Le Livre de Christophe Colomb*, ou, de façon plus paradoxale et retorse par Brecht, à travers Galy Gay, Arturo Ui ou cette Mère qui, de l'incarnation de la maternité, glisse vers celle de la praxis révolutionnaire. Confisqué par le théâtre épique, le moi errant n'entretient plus aucune parenté avec le caractère pulvérisé du théâtre intime. Ni même avec ce "petit homme", dans la psyché duquel s'inscrit l'aliénation sociale, dont parle Reich à l'époque où Brecht édifie son théâtre épique. Telle est la grandeur et telles sont les limites du théâtre de Brecht et de Claudel, ces deux modernes raconteurs d'immenses paraboles.

D'où le porte-à-faux général des critiques du théâtre épique lorsqu'elles dénoncent le peu de cas que cette dramaturgie fait du *subjectif*. "Il y a, prétend Sartre, une insuffisance très nette de l'épique : jamais Brecht (...) n'a résolu dans le cadre du marxisme le problème de la subjectivité et de l'objectivité et, par conséquent, il n'a jamais su faire une place réelle à la subjectivité chez lui, telle qu'elle doit être[20]." Et Barthes d'élargir le propos à tout art d'essence marxiste : "Il y a une sorte de démission des œuvres modernes en face du rapport interhumain, interindividuel. Les grands mouvements d'émancipation idéologique – disons, pour parler clairement, le marxisme – ont laissé de côté l'homme privé (...). Or, on sait très bien que, là, il y a encore de la gabegie, il y a encore quelque chose qui ne va pas : tant qu'il y aura des «scènes» conjugales, il y aura des questions à poser au monde[21]." Symptôme d'une critique incertaine de son angle d'attaque, la clause d'indulgence que glissent nos deux auteurs dans leurs propos : "d'ailleurs (Brecht) n'avait pas de raison de le faire et ce n'était pas à lui de le faire" (Sartre) ; "et sans doute ne pouvait-on faire autrement" (Barthes). En réponse à Brecht et aux "insuffisances" de son théâtre, Sartre rêvait d'un "théâtre dramatique fort près de l'épique et qui ne soit pas bourgeois", mais on s'étonne qu'il n'ait pas décelé cette forme dans l'œuvre de Pirandello. La réponse, plus récente, de dramaturges comme Kroetz, Sperr, Fassbinder nous importe plus en ce qu'elle émane d'auteurs qui ont fait du "petit homme" reichien l'humanité même de leur théâtre et qui ont attribué à deux contemporains de Brecht, Marie-Louise Fleisser et Odön von Horvath, la paternité de leur propre dramaturgie.

Le dénominateur commun au théâtre de Fleisser et à celui d'Horvath – comme à ceux de leurs actuels "descendants" : Fassbinder, Kroetz, Sperr, etc. –, c'est le resserrement de l'action dramatique sur un milieu étroit et quasi immobile. *La Nuit italienne* de Horvath se déroule dans "une petite ville du sud de l'Allemagne entre 1930 et 1932", c'est-à-dire en un lieu et à une époque où l'affrontement – qui est au centre de la pièce – entre les républicains alliés aux marxistes et les nazis pouvait encore faire figure de querelle de clocher. *Cent cinquante marks (La Foi, l'espérance et la charité)* s'inscrit dans un milieu médiocre de petits employés et fonctionnaires parmi lesquels se débat une chômeuse. Cette dernière, afin de pouvoir payer sa caution de représentante de commerce, essaie de vendre son futur cadavre à l'Institut d'anatomie. Après une tentative de suicide par noyade, elle meurt de faim, d'épuisement et, surtout, d'être restée sans travail et sans réelle affection. Quant aux deux étranges pièces de Fleisser, *Purgatoire à Ingolstadt* et *Pionniers à Ingolstadt*, elles ont pour cadre l'espèce de quart monde que constitue la petite ville natale de l'auteur et mettent aux prises de tout jeunes gens à la recherche aveugle de leur identité sociale, affective et sexuelle. Toutes les données humaines sur lesquelles le théâtre de Brecht tend à faire l'impasse se retrouvent, à l'état de précipité, dans ces œuvres de Horvath et Fleisser : le statut de la femme ou du marginal dans une société sexiste ou en quête de bouc émissaire, la violence des opprimés – qu'ils retournent le plus souvent contre eux-mêmes ; bref, une "sous-humanité" dont le Woyzeck et la Marie de Büchner seraient les prototypes.

Horvath et Fleisser, chacun avec son ton particulier, font théâtre de cette "gabegie" que stigmatisait plus haut Roland Barthes. Ils interrogent le monde et intriguent leurs spectateurs en mettant le doigt sur tous ces petits gâchis, ces tensions et ces convulsions, ces pulsions autodestructrices qui tirent une communauté citadine vers la barbarie. Là où devraient résonner les accords harmonieux des relations familiales, affectives, amoureuses, sexuelles et, dans le cas d'Horvath, d'une camaraderie politique, ces deux auteurs nous font entendre les dissonances des rapports d'autorité, d'hostilité, d'oppression entre êtres a priori proches et égaux. Par exemple, Horvath, qui excelle dans la comédie grinçante voire macabre, met en scène la soudaine révolte de l'épouse d'un militant – ou "responsable" – politique local, par ailleurs effroyable machiste ("Ah, quel homme impossible ! Prolétaire au-dehors, capitaliste au-dedans ! Que les messieurs ici présents apprennent à te connaître tel que tu es ! Il m'exploite, moi ! moi ! Depuis trente ans !") ou encore l'anathème que lance, avant d'expirer, la malheureuse Elisabeth de *Cent cinquante marks* sur son ex-fiancé, l'agent de police Alphonse qui l'a abandonnée dès qu'il a appris qu'elle avait fait quelques jours de prison ("Ne me regarde donc pas ainsi avec ces yeux stupides ! Sors de ma vue, sinon je t'arrache les yeux ! Et ne va pas t'imaginer que je me suis jetée à l'eau à cause de toi, toi et ton grand avenir ! J'ai fait le plongeon parce que je n'avais pas de quoi bouffer, si j'avais eu de quoi bouffer, crois-tu que j'aurais seulement daigné cracher sur toi ?").

La dramaturgie d'Horvath est sans doute plus "mythologique", au sens de nos années soixante, que politique : elle articule, avec un sombre humour, l'analyse socio-économique et l'investigation freudienne des conflits inter et intrasubjectifs. Quant aux deux pièces bavaroises de Marie-Louise Fleisser, elles retracent l'affrontement, dans un jeu dont l'innocence est pétrie de cruauté et la violence d'une indéniable aspiration au bonheur, de jeunes gens qui ne s'attirent les uns les autres que pour se rejeter mutuellement et ne se réfugient dans leur être intime qu'afin de se déchirer eux-mêmes. Perce également l'obscur désir de conquérir une dignité et d'affirmer son moi. Roelle, le jeune bouc émissaire de *Purgatoire à Ingolstadt* : "Ils vont voir ce qu'ils vont voir. Je me prendrai par les cheveux et je me sortirai moi-même de la mare" ; ou, dans la même pièce, l'adolescente Clémentine : "Je suis une personne pour soi. Je vais rester seule avec moi-même." Tout cela à travers une quotidienneté à la fois sourde et frénétique, débouchant tantôt sur l'hystérie et la transe mystique tantôt sur l'abattement et la prostration. Et dans une langue, un "parler", écrit Philippe Ivernel, où "pointe une personnalité entravée qui cherche à prendre la parole[22]". Incontestablement, ces dramaturgies où le quotidien accède à la dimension historique ont une portée épique. Elles n'en explorent pas moins cette dimension de l'intime – du moi divisé errant dans sa propre obscurité – qu'ont négligée Brecht et sa "grande forme épique du théâtre".

L'introuvable refuge

Aucune pièce moderne n'articule mieux que *Huis clos* (une "comédie" au sens de Dante, et la maquette dramatique de la philosophie sartrienne) théâtre du moi et théâtre du monde. Qu'en est-il du moi sous le regard de mouche de l'autre – "Je vous vois, je vous vois ; à moi seule je suis une foule, la foule", prévient Inès –, telle est la question que se posent tour à tour les trois principaux personnages de la pièce. Tel est aussi leur tourment : "Tous ces regards sur moi. Tous ces regards qui me mangent", s'exclame Garcin. Afin d'illustrer sa proposition existentialiste selon laquelle "autrui a barre sur moi", Sartre met en scène, dans le huis clos d'un salon Second Empire, l'humaine interdépendance : sur le théâtre du monde sartrien, chaque être apparaît comme une marionnette dont les fils se seraient inextricablement emmêlés avec ceux de toutes les autres :

"GARCIN. Inès, ils ont embrouillé tous les fils. Si vous faites le moindre geste, si vous levez la main pour vous éventer, Estelle et moi nous sentons la secousse. Aucun de nous ne peut se sauver seul ; il faut que nous nous perdions ensemble ou que nous nous tirions d'affaire ensemble."

La chambre – "qui nous attendait", dit Inès – représente bien entendu le monde, la société. Car le microcosme dramatique ne fait plus qu'un avec le macrocosme. Tout l'extérieur a été absorbé, comprimé dans cet intérieur exigu et inerte où chacun devient le bourreau de l'autre.

Kafka, qui était un maître en distanciation, confiait à Janouch qu'"un cadre inconnu cerne et précise ce qui est proche et parent de nous-mêmes". Dans *Huis clos*, Sartre pousse ce principe à l'extrême : pour mettre en scène la condition humaine, il imagine que ses personnages viennent de mourir et que ce salon Second Empire est l'enfer. *Huis clos* porte ainsi le métadrame pirandellien à son comble : ici le drame antérieur, qui fait l'objet de la rétrospection et de l'analyse, ce n'est plus tel épisode d'une vie, tel fait divers colporté par les rumeurs de la rue, mais *l'existence entière*. Le moi dramatique des trois personnages de *Huis clos* ne s'exprime que sous le contrôle permanent de leur moi épique. Mais, du moins, cet empêchement de vivre qui fait la prémice du pseudo-drame (au-delà de la mort, aucune action, aucun drame ne sont évidemment possibles) offre-t-il sa contrepartie de "liberté", au sens sartrien : nul Auteur ne gouverne plus les personnages du *theatrum mundi*, nul divin manipulateur n'agite plus ces marionnettes émancipées, pour l'éternité responsables d'elles-mêmes, que sont Garcin, Inès et Estelle. Il ne reste donc plus aux personnages, dans ce jeu sans fin auquel ils sont contraints de participer, dans cette "fin de partie" d'avant Beckett, qu'à essayer de trouver la place respective du moi et de l'autre. D'un moi et d'un monde a priori aussi inhabitables l'un que l'autre, puisqu'ils sont à la fois le lieu d'une séquestration et celui d'une vacance ou d'un abandon... Ce huis clos constitue assurément un enfermement, mais en aucun cas un refuge, car il se trouve toujours déjà investi par le regard menaçant de l'autre.

De façon significative, la plus théâtralement intéressante des pièces de Sartre est aussi celle où il s'exprime le plus directement en philosophe et où il cherche le moins à copier un quelconque modèle dramaturgique – antique (*Les Mouches*) ou mélodramatique (*La Putain respectueuse*, *Le Diable et le Bon Dieu*, *Kean*, etc.). Même dans sa dernière œuvre dramatique, *Les Séquestrés d'Altona*, où il retrouve le thème de la vie considérée depuis la mort – officiellement décédé, Frantz von Gerlach, qui fut officier de la Wehrmacht durant la Seconde Guerre mondiale, vit reclus dans une chambre de l'immense demeure familiale autour de laquelle veillent ses proches, transformés en gardiens du "tombeau" –, Sartre ne parvient pas à opérer une aussi riche synthèse de sa philosophie et de l'anecdote dramatique. La tragédie familiale des von Gerlach, qui n'est pas sans rappeler celle des Borkman d'Ibsen, se relie mal, en définitive, à la tragédie de l'histoire à l'époque du nazisme ; le recours à la tragédie domestique se solde en une banale domestication de la tragédie. L'auteur des *Séquestrés d'Altona* se contente de loger un contenu nouveau dans une forme obsolète et de ranimer artificiellement un genre éteint. Dans *Huis clos*, au contraire, œuvre qui sert de pont entre la dramaturgie pirandellienne et celle des années cinquante, il relance la problématique du théâtre intime.

Un huis clos qui enserre le monde et une errance convertie en immobilité, voire en prostration : c'est le dénominateur commun aux dramaturgies, par ailleurs fort divergentes, de Beckett, Genet, Adamov, Ionesco, Pinter. L'"intérieur sans meubles", baigné d'une "lumière grisâtre", avec ses "deux petites fenêtres haut perchées" aux "rideaux fermés" et son "tableau retourné" de *Fin de partie* n'est pas sans rappeler l'"enfer" sartrien, ses canapés et son bronze de Barbedienne. Involuté, retourné vers le dedans, le cosmos s'enroule autour du moi errant dont il arrête la course. Doublement prisonnier, de cette chambre close et d'un fauteuil roulant qui tient plus de l'entrave que de la prothèse, le moi beckettien est pareil à un roi shakespearien déchu qui, dans son cul-de-basse-fosse, voudrait revivre son ancienne souveraineté – ou se délecter de sa propre déchéance.

"HAMM. Fais-moi faire un petit tour. *(Clov se met derrière le fauteuil et le fait avancer.)* Pas trop vite !

(Clov fait avancer le fauteuil.) Fais-moi faire le tour du monde ! *(Clov fait avancer le fauteuil.)* Rase les murs. Puis ramène-moi au centre. *(Clov fait avancer le fauteuil.)* J'étais bien au centre, n'est-ce pas ? (...) Stop ! *(Clov arrête le fauteuil tout près du mur du fond. Hamm pose la main contre le mur. Un temps.)* Vieux mur ! *(Un temps.)* Au-delà c'est... l'autre enfer. (...) Tu entends ? *(Il frappe le mur avec son doigt replié. Un temps.)* Tu entends ? Des briques creuses. *(Il frappe encore.)* Tout ça c'est creux !"

Que l'on place un fragment du texte strindbergien, tout particulièrement du *Chemin de Damas* ou du *Songe*, sous un microscope, et c'est le théâtre de Beckett qui apparaît. Des pièces-chemin de croix de Strindberg, le moi beckettien a atteint la station d'où tout nouveau départ devient impossible, où il ne reste plus qu'à sonder des murs creux qui ne donnent que sur le néant, à scruter un ciel vide et à s'enliser sans fin. Séjour du "vagabondage immobile", du piétinement dans un espace – "dépeupleur" – "assez vaste pour permettre de chercher en vain. Assez restreint pour que toute fuite soit vaine". Enfer sécularisé. L'œuvre de Beckett annonce la fin de l'harmonie archi-millénaire entre la partie et le tout, le grand et le petit, l'individu et le cosmos. L'homme n'est plus qu'un corps flottant à l'intérieur de son prétendu univers personnel ; même véhiculée par une de ses semblables, la personne humaine ne parvient plus à embrasser le plus petit des mondes possibles : ses "vieux murs", sa "vieille demeure", son "vieux coin", bref son vieux moi... Le théâtre intime beckettien, *theatrum mentis* dans la stricte acception de "théâtre dans la tête", est un espace squattérisé où prolifèrent des voix qui n'arrêtent pas de dire la déshérence du moi.

Si Beckett et, plus largement, la dramaturgie des années cinquante renouent avec la problématique strindbergienne du théâtre intime, c'est en déployant sur la scène, en une saisissante fantasmagorie, la seule réalité psychique des personnages. Or, "l'exagération de la réalité psychique par rapport à la réalité matérielle" est justement responsable, d'après Freud, du sentiment d'"inquiétante étrangeté" : cet effroi "qui se rattache aux choses connues depuis longtemps, et de tout temps familières". Au cœur de leur vie intime

– conjugale, familiale – les personnages dont la vie psychique est hypertrophiée ne perçoivent plus le monde environnant qu'à travers le prisme déformant, voire pathologique, de leurs fantasmes, de leurs angoisses, de leurs obsessions et de leurs désirs inconscients. Mais l'originalité de cette dramaturgie dite "de l'absurde" tient à l'implacable logique théâtrale qui consiste à conférer une sorte d'*hypervisibilité* à ces puissances invisibles : les personnages vont porter sur leurs corps déformés, anamorphosés, les stigmates de cette toute-puissante réalité psychique. C'est ici, dans ce qu'on pourrait appeler *somatisation théâtrale*, dans cette traduction scénique littérale de nos névroses ordinaires dont Adamov fut l'un des champions, que la dramaturgie de la subjectivité connaît, dans les années cinquante, une nouvelle avancée : "Une pièce de théâtre, écrit l'auteur de *La Parodie* et de *L'Invasion*, doit être le lieu où le monde invisible et le monde visible se touchent et se heurtent, autrement dit la mise en évidence, la manifestation du contenu caché, latent, qui recèle les germes du drame. Ce que je veux au théâtre et que j'ai tenté de réaliser dans ces pièces, c'est que la manifestation de ce contenu coïncide littéralement, *concrètement*, *corporellement* avec le drame lui-même. Ainsi, par exemple, si le drame d'un individu consiste dans une mutilation quelconque de sa personne, je ne vois pas de meilleur moyen pour rendre dramatiquement la vérité d'une telle mutilation que de la représenter corporellement sur la scène[23]." Dans l'esprit d'Adamov, mais tout aussi bien de Ionesco ou de Beckett – dont presque toutes les créatures font l'objet de transformations auto ou alloplastiques du corps –, la scène du théâtre, déjà ébranlée par la "révolution surréaliste", rivalise avec l'"autre scène" : la scène du rêve, la scène de l'inconscient.

Structuré comme un rêve, le théâtre intime révèle les pulsions des personnages en leur donnant la forme la plus imagée. Pénétré par l'étrange et par l'insolite, le familier – "le familier n'est pas pour cela connu", disait en son temps Hegel – exhibe ses aspects les plus inédits. Dans *Amédée ou Comment s'en débarrasser* de Ionesco, l'appartement des époux Buccinioni est progressivement envahi par un de ces cadavres qui, dans la vie réelle, ne sortent guère des placards. Un cadavre qui ne cesse de grandir et autour duquel poussent des champignons. Epousailles singulières, jusque dans le détail du dialogue, du quotidien et du fantastique, du familier et de l'étrangeté qu'il sécrète :

"AMÉDÉE *(va tracer un trait, avec une craie, sur le plancher, au pied du tabouret sur lequel se trouvent les pieds du mort, puis il mesure soigneusement, en silence, la distance entre l'ancien trait et le nouveau).* Il s'est encore allongé de douze centimètres en vingt minutes. Ça va aller encore plus vite... Ah la la la ! *(Il contemple un moment la partie du corps qui se trouve sur la scène, puis les champignons devenus énormes.)* Ceux-là aussi, ils poussent toujours ! *(Un silence.)* S'ils n'étaient pas vénéneux, on pourrait en consommer ; ou en vendre. Ah, je ne sais vraiment pas y faire. Je n'arrive jamais à tirer profit de quoi que ce soit.

MADELEINE *(émergeant du fouillis de meubles, en se peignant devant la glace).* Il y a longtemps que je te le dis.

AMÉDÉE *(soupirant).* Oui, Madeleine, tu as raison. Un autre se débrouillerait certainement mieux. Je suis désarmé dans la vie. Je suis un inadapté... Je ne suis pas fait pour vivre dans ce siècle (...). Au moins, si mon moral était meilleur, c'est la fatigue. Pourtant, je ne fais pas grand-chose... *(Il veut se diriger à droite, vers le divan, heurte légèrement les jambes du mort.)* Oh ! pardon..."

L'image de ce cadavre grandissant (qui se transforme, à la fin de la pièce, en une montgolfière emportant Amédée dans les airs) ne saurait autoriser une lecture univoque ; dans sa qualité onirique, elle se situe, comme eût dit Adamov, à un "carrefour de sens". De même que le rêve, elle reste ouverte à de multiples interprétations. Il en va également ainsi pour la relation, foncièrement ambivalente, qu'entretient Teddy, le fils prodigue – et prodige – du *Retour* de Pinter, avec son père et ses deux frères restés au foyer familial : "Ce sont des gens très chaleureux. Vraiment très chaleureux. C'est ma famille. Ce ne sont pas des ogres", dit Teddy à sa jeune épouse qui, déployant une séduction des plus ambiguës, dévorera elle-même ces hommes rapaces et trônera bientôt au-dessus d'eux, à la place de la mère décédée. Bien que moins imagé et littéral que celui de Beckett, Adamov ou Ionesco, le théâtre de Pinter fait lui aussi apparaître la trame inconsciente ou pré-consciente des relations interhumaines. A l'instar de ses grands contemporains, il met à nu ce moi toujours à la recherche d'un refuge – maison d'enfance dans *Le Retour*, pension de famille dans *L'Anniversaire* – qui, immanquablement, s'avère un antre ensorcelé et inhabitable. Et ce qui est vrai pour la maison l'est aussi pour le moi : "En moi, il y a une lacune. Je n'arrive pas à la combler. En moi il y a un raz de marée. Je n'arrive pas à l'endiguer", soliloque le vieil Hirst de *No man's land*... Le moi pintérien, comme celui de Beckett ou des premières pièces d'Adamov, comme celui de Kafka, ressemble à une coquille vide à la merci – que l'on songe au *Servant* de Pinter-Losey – du premier bernard-l'ermite venu. Campant dans les ruines de la psyché, le personnage du théâtre des années cinquante mène le deuil de son propre moi. Chaque parole qu'il prononce est son épitaphe – ou la nôtre : l'épitaphe du sujet contemporain, de notre être intime perdu dans l'indéfini du langage. A la limite, le personnage n'est plus qu'un vague *souvenant* de lui-même qui, tel Hirst, égrène sans trop de conviction, afin de tenter de se repeupler, des souvenirs vrais ou fabriqués : "Mes vrais amis me regardent d'entre les pages de mon album. J'avais un monde à moi. Je l'ai. N'allez pas croire, sous prétexte qu'il a disparu, que je songe à en ricaner, à le révoquer en doute, à me questionner sur son authenticité. Non. Il s'agit de ma jeunesse, et jamais elle ne pourra me quitter. Non. Elle a existé. Elle était solide, les gens qui la peuplaient étaient solides, et en même temps... métamorphosés par la lumière, et en même temps... sensibles à tous les changements de lumière." Le personnage de Pinter, de Beckett, d'Adamov ou de Ionesco hante les décombres de son théâtre intime. Il se retrouve dans un espace qui ni ne se meut ni n'est stable, l'espace du transit et de l'ajournement, la "terre d'aucun homme", le no man's land :

"HIRST. C'est un no man's land... qui jamais ne bouge... ni ne change ; ni ne vieillit... et à jamais demeure... Glacé... silencieux." Par rapport à cette dramaturgie du "no man's land" à laquelle se rattachent ses premières pièces, de *La Parodie* au *Professeur Taranne*, Arthur Adamov ne tarde pas à prendre ses distances.

Découvrant le théâtre épique de Brecht, il reproche aux autres auteurs de l'"avant-garde" des années cinquante de mettre en scène un homme désocialisé et toujours déjà écrasé, laminé par des forces occultes ; en d'autres termes, de céder à une métaphysique pétrie d'individualisme. Grief que mérite certainement Pinter, dont les pièces, de facture assez boulevardière, procèdent d'un *intimisme* soudain perturbé, subverti, explosé, et qui déclarait, à propos des personnages de la première d'entre elles, *La Chambre* : "Evidemment, ils sont terrifiés par ce qui est en dehors de la chambre. En dehors de la chambre, il y a un monde prêt à les envahir qui est effrayant pour vous et pour moi[24]." Pour Adamov, qui tient compte de la leçon brechtienne, ce monde extérieur ne doit pas simplement être évoqué comme une menace d'anéantissement, il faut le représenter concrètement comme historique et transformable.

D'où ces pièces où Adamov s'efforce de mettre en tension théâtre du moi et théâtre du monde et de rendre compte, selon le souci sartrien, de la "totalité objectivité-subjectivité" : *La Politique des restes* où la psychose individuelle d'un Blanc américain qui a assassiné un Noir est mise en regard avec la paranoïa collective d'une société américaine affairiste et raciste ("Ce nègre, prétend l'assassin à son procès, avait déjà déposé des monceaux et des monceaux d'ordures devant ma porte, et maintenant ces mêmes ordures, ces mêmes monceaux de pelures, de sciures, il voulait que je les mange, et qu'il me regarde, lui, les mastiquant et les mangeant") ; *Off limits* où le petit milieu new-yorkais des "parties" entre hommes d'affaires, intellectuels et artistes réfracte, à travers ses propres maladies – alcool, drogue, dépression, etc. –, la guerre du Viêt-nam ; *Si l'été revenait*, certainement la plus strindbergienne et la plus "intime" des pièces de l'auteur, où quatre adolescents suédois, promus tour à tour "rêveurs" et narrateurs de leur existence commune, retracent, sur le mode onirique et suivant quatre points de vue successifs, leur vie tragiquement quiète, dans un pays qui se trouvait – fin des années soixante – à la pointe du capitalisme "avancé" et "social". "Il faut absolument, insistait Adamov dans une diatribe qui pourrait être la charte de tout théâtre intime, que le théâtre se trouve contraint de se situer toujours aux confins de la vie dite individuelle et de la vie collective. Tout ce qui ne relie pas l'homme à ses propres fantômes, mais aussi, mais encore à d'autres hommes, et partant à leurs fantômes, et cela dans une époque donnée et, elle, non fantomatique, n'a pas le moindre intérêt, ni philosophique, ni artistique[23]."

Le théâtre d'Adamov et celui de Genet – qui se situe à l'autre pôle, anté-dialectique et anti-historique, de la dramaturgie – représentent peut-être l'alternative de l'écriture dramatique contemporaine. D'une part (Genet), un dernier *theatrum mundi*, peuplé de personnages hiératiques aux "grandioses proportions", de gisants debout, d'ombres pesantes ("Nous nous déplacions, vous et moi, déclare Village à Vertu dans *Les Nègres* de Genet, à côté du monde, dans sa marge. Nous étions l'ombre et l'envers des êtres lumineux"). Ou, puisqu'il s'agit d'une terrifiante rémanence et d'un "reflet de reflet" : un *anti-théâtre du monde*. Ce jeu théâtral funèbre d'essence liturgique, qu'inaugurent *Les Bonnes* et qui se déroule aussi bien dans la chambre de Madame que dans les salons du *Balcon*, je l'appelle "Cérémonie des adieux" :

"SOLANGE *(violente).* Tu étais heureuse tout à l'heure de mêler tes insultes... et les détails de notre vie privée avec...

CLAIRE *(ironique).* Avec ? Avec ? Avec quoi ? Donne un nom à la chose ? La cérémonie ?"

Et je montrerai, dans la dernière partie de ce livre, que ce jeu se poursuit aujourd'hui chez Achternbusch, Bernhard et Duras aussi bien que dans les pièces les plus récentes de Beckett...

D'autre part, comme autre terme de cette alternative de l'écriture contemporaine (Adamov), la métamorphose infinie, sur la scène faussement exiguë du *théâtre intime*, de ce "rêve naturaliste" préconisé par Strindberg : réalisme subjectif, ouvert à l'inconscient et aux puissances invisibles, qui perpétue la confrontation et le mutuel embrassement du moi et du monde.

Dispersion de l'intime ?

Soucieuses de s'affranchir tant du politisme brechtien que de la métaphysique absurdisante, les écritures dramatiques des vingt dernières années sont traversées par deux forces contradictoires : l'une, centripète, tend à une reprivatisation de l'espace dramatique et à un recentrement de l'action sur la vie intime des personnages ; mais l'autre, centrifuge, fait voler en éclats cette même vie privée et provoque l'explosion – ou l'implosion – du théâtre intime. D'où la schize du moi dramatique : le personnage des dramaturgies dites "du quotidien" s'impose à la fois comme une *personne concrète* – pourvue, à l'encontre du personnage des dramaturgies dites "de l'absurde", d'un état civil, d'une existence sociale et d'un métier – et comme un être *fantomatique* atomisé et dépersonnalisé.

Mort d'un commis voyageur, pièce de la fin des années quarante, constitue l'exemple-type – et l'ancêtre – de ce théâtre "quotidienniste" qui conjugue le réalisme et un onirisme de l'essentiel. A partir de la situation dramatique "classique", d'un individu arrivé au terme de son existence et devant rendre des comptes, Arthur Miller entraîne son protagoniste et la petite constellation familiale qui gravite autour de lui, dans une dérive ponctuée de "fantasmes", de "rêves" et de "réminiscences". Le moi dramatique de Willy Loman, ce représentant qui écume les Etats de l'Union et réside à Brooklyn, fait un va-et-vient permanent entre les soixante ans de son déclin et de sa mort et les quarante ans de sa (fausse) splendeur. Le geste esthétique hardi de Strindberg et des expressionnistes, consistant à dérouler toute une existence dans le temps extrêmement limité d'une "agonie" dramatique, est ici repris et apprivoisé – pour ne pas dire banalisé – par un dramaturge dans la descendance d'O'Neill. Quant au traitement de l'espace domestique, il participe également d'une coexistence harmonieuse – et, encore une fois, un peu trop aisée ou "naturalisée" – de la scène réaliste et de la scène du rêve, de l'intersubjectif et de l'intrasubjectif : "L'action de cette pièce se déroulant dans différents temps, le décor sera utilisé, prescrit l'auteur, de deux manières différentes : lorsque les personnages évolueront au présent, ils respecteront les dispositions architecturales de la maison ; entrant par les portes et contournant les cloisons même si les unes et les autres sont imaginaires ; en revanche, dès que les protagonistes interviendront dans les fantasmes, rêves ou réminiscences du commis voyageur, ils agiront, entreront et sortiront sans tenir aucun compte ni des portes et cloisons ni de l'architecture réaliste de la maison, pouvant investir celle-ci, apparaître et disparaître selon la volonté, les caprices ou les besoins de la mémoire ou de l'imagination du commis voyageur."

A propos de *Mort d'un commis voyageur*, œuvre très avant-gardiste en apparence, fort sage et linéaire en définitive, on peut se demander si elle relance – dans une direction plus sociologique – la dramaturgie subjective de Strindberg ou si elle en marque la liquidation. Toujours est-il qu'elle a joué un rôle incontestable, à côté des théâtres de Fleisser et d'Horvath, dans la généalogie des dramaturgies allemandes et françaises du quotidien. Le Willy Loman qui dit "les gens passent à côté de moi et ne me voient pas" n'est-il pas le frère aîné du camionneur de *Haute-Autriche* de Kroetz déclarant à sa femme : "Des fois, pour moi, quand je suis au volant, ou bien aussi en contact direct avec les clients, un contact qui doit être personnel, bien sûr, comme on dit, c'est comme si c'était pas du tout moi, comme si c'était n'importe qui, qui n'a aucune importance. Moi" ? Dénonçant la réification de l'individu, sa réduction à l'état d'objet de consommation ("LOMAN. Une fois dans ma vie pourtant j'aimerais posséder quelque chose complètement à moi, avant la casse ! Je suis engagé dans une course poursuite avec la casse, et il n'y a que moi qui fais du sur place ; elle, elle sprinte, tu paies ta dernière traite et crac, elle te coiffe au poteau et tu n'as plus dans les mains qu'une ruine, une poignée de cendres !") et, du même coup, érigeant le quotidien en fatalité, Arthur Miller annonce Fassbinder et Kroetz ou Wenzel et Deutsch. Mais, avant l'arrivée de cette génération, deux pièces de la fin des années cinquante et du début des années soixante, *Jeune homme en colère* (*Look back in anger*) d'Osborne – qui fut jouée à Paris sous le titre *La Paix du dimanche* – et *La Promenade du dimanche* de Georges Michel, ont montré l'implosion de l'intimité familiale sous la pression de l'ordre et de l'environnement sociaux. Sur des tons extrêmement différents, ces œuvres mettent en scène le temps stagnant, l'espace confiné, les gestes ritualisés et les sentiments bridés ou pervertis d'une intimité qui, tournant à vide, devient mortifère. Les trois dimanches anglais qui se succèdent dans *Jeune homme en colère* à l'intérieur du minuscule appartement d'un jeune couple quasi strindbergien et l'unique après-midi dominicale où se déroule l'action de *La Promenade du dimanche* – sortie au cinéma d'une famille typique de la petite-bourgeoisie française ; aller et retour au cours duquel les grands-parents et le fils vont être fauchés par des "balles perdues" – nous donnent, à travers le mythe dominical, la vision hyperbolique d'une existence quotidienne qui anéantit ses ressortissants. Dans l'exploration et l'exploitation mythologiques du dimanche contemporain, Osborne et Michel trouvent des arguments, des accents convaincants pour dénoncer la vie quotidienne aliénée. "Bon dieu, que je déteste le dimanche ! – s'exclame Jimmy, le jeune homme "en colère" – C'est toujours si déprimant, toujours la même chose. On n'avance pas, toujours le même rituel : les journaux, le thé, le repassage, quelques heures encore, la semaine est finie. Notre jeunesse s'enfuit"... Déploration du personnage, révolte du dramaturge de *La Paix du dimanche* auxquelles Jean-Paul Sartre donne en quelque sorte son aval théorique, lorsqu'il écrit, dans sa préface à *La Promenade du dimanche* : "Aimé, détesté, attendu, toujours décevant, le dimanche est une cérémonie collective. Michel en fait un mythe : c'est la vie humaine. Non pas le *symbole* de la vie. Mais cette vie elle-même, ramassée en un de ses moments particuliers, comme le tout est tout entier présent en chacune de ses parties." Dans ce comble du quotidien que représente le dimanche, l'intimité ne se manifeste plus qu'à travers la catastrophe de sa propre disparition.

Dans les dramaturgies des années soixante-dix, on assiste au *solde* d'une existence à ce point quotidiannisée qu'elle se résume en une collection d'objets disparates et obsolètes, à l'inventaire et à la dispersion d'une intimité depuis longtemps minée, à la ruine d'une vie familiale qui ne trouve plus le vrai abri d'une maison, mais seulement le plus précaire des refuges : un *domicile* anonyme semblable à la "petite maison de banlieue comme oubliée dans ce coin de ville", avec "autour d'elle (...), tout proches, des immeubles d'habitation la dominant et l'écrasant", de Willy Loman. Dans *Perspectives ultérieures* de Kroetz, Madame veuve Ruhsam, âgée de soixante ou soixante-cinq ans, évolue de manière quasi posthume dans son propre petit univers domestique ; elle est promise pour le lendemain à la maison de retraite – autant dire au mouroir – et elle fait, avec force paroles et gestes compulsifs, l'inventaire de ses quelques meubles, objets de ménage, bibelots, souvenirs, bref de son existence : "Les poèmes d'Otto ! Ceux qu'il m'écrivait, quand il était tout petit, pour la fête des mères. J'ai pas le droit de les oublier. C'est important les souvenirs, quand on est obligée de partir et qu'on peut rien emporter. *(Elle fouille dans le tiroir de la table de nuit et en sort un petit volume de poèmes joliment décoré.)* Et la boucle de cheveux que je lui avais coupée quand il était bébé ! Où est-elle passée ? Il était blond doré, étant gamin ; maintenant il est presque noir ! *(Elle sourit. Silence.)* Encore qu'Hermann aussi avait les cheveux clairs, quand je l'ai connu. *(Elle cherche et finit par trouver, dans une petite boîte, une boucle de cheveux blonds enveloppée dans un papier d'étain. Elle la regarde et sourit.)* Conservée pendant trente-cinq ans, faut le faire !..."

La centrifugation de l'intime est l'effet ultime de cette guerre dont le domicile est le théâtre et qui perpétue en l'aggravant la "scène conjugale" ou "familiale" strindbergienne. Le mérite des dramaturgies de Kroetz, Fassbinder, Wenzel, Besnehard ou Deutsch, c'est de montrer que les sourds combats du théâtre intime – Madame veuve Ruhsam, par exemple, est victime de l'embargo social et existentiel que fait subir la société aux vieillards sans argent – ne sont que le contrecoup d'engagements, d'affrontements et de situations d'oppression sur le théâtre du monde. Ennemis malgré eux et sans le savoir, retranchés chacun dans le vide de son intimité, les amants d'*Une affaire d'hommes*, autre pièce de Kroetz, sont devenus des *intouchables* l'un pour l'autre, c'est-à-dire les boucs émissaires d'une société qui ne cesse de sécréter son propre quart monde et de plonger une partie de l'humanité dans une guerre intime d'autodestruction. Suicidaires, la bouchère et l'ouvrier ne parviendront enfin à communiquer l'un avec l'autre, dans le sinistre miracle qui clôt la pièce, qu'en s'assassinant mutuellement de quelques coups de fusil à bout portant... L'intime est désormais sans foyer. Ou ce foyer n'est qu'un brasier jamais éteint, la dangereuse fournaise qu'alimentent les guerres fratricides et mortelles entre l'homme et la femme, les parents et les enfants, les conflits de sexes ou de générations. L'intime est ce lieu qui ne laisse d'autre alternative que la mort ou l'exode. Avant de perpétrer le meurtre du Père, le Fils de *La Force de tuer* de Lars Norén dénie avoir jamais eu un foyer, comme s'il voulait détruire ce "lieu" qui, au sens strindbergien, est aussi un "lien" :

"FILS. J'ai l'intention de retourner à l'hôtel au plus tard en automne (...). Je veux rester seul.

PÈRE. Mais tu arrives à te sentir chez toi là-bas à la pension – comme si c'était ta maison ? (...)

FILS. Je ne veux pas de foyer.

PÈRE. Tu n'en veux pas ? Tu t'en es lassé ?

FILS. J'en ai eu un ?... On en a eu un ? Quand ?

PÈRE. Tu en as eu ! Plusieurs.

FILS. Nous n'avons jamais eu aucun foyer." Eloquente dénégation, qui nous rappelle que, si l'intimité réelle ouvre les portes d'un enfer, l'intime est aussi le paradis perdu de l'homme contemporain : individu sans foyer dans la mouvance du monde, moi enkysté au hasard dans une société aux allures de no man's land.

Dans la mise en scène de *Loin d'Hagondange* par Patrice Chéreau, la maison de Georges et Marie, les deux petits retraités en attente de la mort, n'était représentée que par quelques pièces de mobilier disposées au centre d'un vaste paysage de collines. D'entrée de jeu, l'espace intime du couple se trouvait ventilé sur tout l'espace extérieur, dispersé. Mais cet éclatement du théâtre intime que trahissait le décor du spectacle s'inscrit déjà dans la structure de la pièce de Wenzel, comme dans celle de toutes les pièces "quotidiennistes" de ces vingt dernières années. Structure *en dispersion* d'une dramaturgie hyperfragmentée, découpée en scènes extrêmement brèves et indépendantes les unes des autres. En "morceaux", dirait Vinaver dont *La Demande d'emploi*, pièce retraçant la dislocation de la vie intime et familiale d'un cadre au chômage, n'en compte pas moins de trente. Ici, comme dans tout le théâtre de Vinaver, la forme épouse parfaitement la thématique de la pièce : Fage, le cadre au chômage, se trouve pris dans un dispositif ouvert – ni appartement familial ni bureau – où l'assaillent simultanément, dans un défi permanent à la chronologie et à la topographie, les voix de son épouse, de sa fille et de Wallace, le recruteur de cadres auprès duquel il brigue un emploi. Dans chacune de ses pièces, des plus panoramiques (*Par-dessus bord*, *A la renverse*) à celles réputées à tort "intimistes" (*Théâtre de chambre*), Vinaver crée un espace dynamique où s'interpénètrent vie privée et vie publique. Un peu à la manière de Tchekhov, qui s'intéressait moins à chaque personnage pris en lui-même qu'aux interrelations entre les personnages, Vinaver met en scène *un ensemble humain* : entreprise multinationale, hôtel avec son personnel et sa clientèle, service après-vente, mais aussi communauté plus réduite d'une mère divorcée et de son fils adolescent, de deux vieux garçons avec une jeune shampouineuse, etc. Au sein de cet ensemble objectif-subjectif, les rapports affectifs s'enchevêtrent avec les relations de travail et l'intime renaît là où on l'attendait le moins : non plus derrière le mur de la vie privée mais quasiment sur la place publique. Ainsi de Nicole, Yvette et Guillermo de *Les Travaux et les Jours*, élaborant dans le service où ils sont tous les trois employés leur *utopie intime* et entremêlant leur discours amoureux avec les propos professionnels d'une collègue, Anne, et du chef de service, Jaudouard :

"YVETTE. Un lit d'abord un grand lit où on pourra plonger tous les trois.

NICOLE. Et tenir conseil.

YVETTE. Où on sera à l'aise pour dormir tous les trois et pour nos ébats.

NICOLE. En long et en large.

ANNE. Trois semaines notre usine est dans les Vosges il faut compter avec le temps d'acheminement vous Monsieur Jaudouard vous faites facilement table rase de tout ça vous.

JAUDOUARD. On ne peut pas être d'accord avec tout mais le principal c'est le mouvement qui est donné il va vite M. Bataille c'est un fonceur on s'essouffle à le suivre sur le choix d'Yvette par exemple je leur ai dit que je ne suis pas d'accord."

Les personnages de Vinaver ne sont pas si éloignés de Willy Loman, le commis voyageur d'Arthur Miller, ni même de ces parias sociaux, de ces "sous-privilégiés" qui hantent les pièces de Kroetz ou des tenants français du théâtre du quotidien. Mais la dispersion de l'intime qui faisait l'objet chez ces derniers d'un constat et d'une déploration devient, chez Vinaver, une heureuse dissémination. Le moi de l'individu contemporain, en se désintégrant, est à nouveau mis en tension avec l'univers qui l'entoure. Le théâtre intime semble vouloir réintégrer le théâtre du monde.

Pas plus aujourd'hui qu'au temps de Strindberg, l'espace du théâtre intime ne saurait être celui d'une subjectivité repliée sur elle-même. De moins en moins domestique et de plus en plus chaotique, il concentre, à travers son infinie dispersion, toute l'aventure de l'être, c'est-à-dire la triple expérience de l'amour, de la connaissance et de la mort. La psyché contemporaine est sans ancrage et sans repos. L'intime subsiste, mais hors de toute intimité, dans la privation d'une réconfortante union – ou unité – avec l'autre, avec le monde et avec soi-même. Rechercher sans trêve, dans ce lieu déterritorialisé de l'intime, le sens de cette présence a priori inopportune et étrangère du moi au monde et du moi à lui-même, c'est l'exacte démarche du drame contemporain. Laissons le moi, même titubant ou apparemment immobile, poursuivre cette "marche au monde" qu'évoquait Ernst Bloch… August Strindberg n'a inauguré son Théâtre intime – qui est aussi le nôtre, la scène originelle où se conjuguent à notre intention théâtre du moi et théâtre du monde – qu'afin de nous convier à ce parcours de mort, de défi et de renaissance.

NOTES

1. Texte de Strindberg cité par Carl-Gustaf Bjurström dans les notes de : August Strindberg, *Théâtre complet 6*, L'Arche, 1986.
2. George Steiner, *La Mort de la tragédie*, traduit de l'anglais par Rose Celli, Editions du Seuil, coll. "Pierres vives", 1965.
3. Gustaf Janouch, *Conversations avec Kafka*, traduit de l'allemand par Bernard Lortholary, Maurice Nadeau, 1978.
4. Maurice Maeterlinck, préface du *Théâtre I : La Princesse Maleine, L'Intruse, Les Aveugles*, P. Lacomblez et Per Lam, éditeurs, Bruxelles-Paris, 1901.
5. Hume, *Traité de la nature*, cité par Marian Hobson : "Du theatrum mundi au theatrum mentis", *Revue des sciences humaines*, n° 167, "Théâtralité hors du théâtre", Lille III, 1977-3.
6. Ernst Bloch, *L'Esprit de l'utopie*, traduit de l'allemand par A.-M. Lang et C. Piron-Audard, Gallimard, "Bibliothèque de philosophie", 1977.
7. Denis Diderot, lettre à Sophie Volland citée par Michel Delon : *Magazine littéraire*, "Ecrits intimes, de Montaigne à Peter Handke", n° 252-253, avril 1988.
8. Gaston Bachelard, *La Poétique de l'espace*, P.U.F., "Bibliothèque de philosophie contemporaine", 1957.
9. Anton Tchekhov, lettre à Meyerhold citée par Claudine Amiard-Chevrel : *Le Théâtre artistique de Moscou*, Editions du C.N.R.S., coll. "Le Chœur des muses", 1979.
10. Robert Abirached, *La Crise du personnage dans le théâtre moderne*, Grasset, 1978.
11. August Strindberg, *Théâtre cruel et théâtre mystique*, op. cit. (préface de *Mademoiselle Julie* et "Second groupe des *Vivisections*").
12. Luigi Pirandello, préface de *Six personnages en quête d'auteur*, in : *Ecrits sur le théâtre et la littérature. L'humour tragique de la vie*, Denoël-Gonthier, "Médiations", 1968.
13. Sur la question du "métadrame", je renvoie à mon livre *L'Avenir du drame*, Editions de L'Aire, Lausanne, 1981.
14. Paul Claudel, allocution de 1944 et texte de 1943 à propos du *Soulier de satin* à la Comédie-Française in : *Théâtre II*, "Bibliothèque de la Pléiade", Gallimard, 1965.

15. Du *Solitaire* de Johst, nous dit Bernard Dort in : *Lecture de Brecht*, Editions du Seuil, coll. "Pierres vives", 1960.
16. Bernhard Diebold, *Anarchie im Drama*, cité par Philippe Ivernel, "L'abstraction et l'inflation tragique dans le théâtre expressionniste allemand", *L'Expressionnisme dans le théâtre européen*, Editions du C.N.R.S., 1971.
17. Bertolt Brecht, *Journal de travail*, 1938-1955, texte français de Philippe Ivernel, L'Arche, 1976.
18. Erwin Piscator, *Le Théâtre politique*, texte français d'Arthur Adamov, L'Arche, 1962.
19. Walter Benjamin, *Essais sur Bertolt Brecht*, traduits de l'allemand par Paul Laveau, F.M., "Petite collection Maspero", 1969.
20. Jean-Paul Sartre, *Un théâtre de situations*, textes choisis et présentés par Michel Contat et Michel Rybalka, "Idées", Gallimard, 1973.
21. Roland Barthes, "Entretien avec Michel Delahaye et Jacques Rivette", *Cahiers du Cinéma*, n° 147, septembre 1963.
22. Philippe Ivernel, "Le petit théâtre du monde de Marieluise Fleisser ou Ingolstadt en nous", postface à : Marieluise Fleisser, *Pionniers à Ingolstadt*, L'Arche, coll. "Scène ouverte", 1982.
23. Arthur Adamov, *Ici et maintenant*, Gallimard, coll. "Pratique du théâtre", 1964.
24. Harold Pinter cité par Martin Esslin, *Théâtre de l'absurde*, traduit de l'anglais par M. Buchet, F. Del Pierre et F. Frank, Buchet-Chastel, 1963.

Intimité de la mort :
LA CÉRÉMONIE DES ADIEUX

Au problème de l'existence il n'est répondu que par l'énigme de son anéantissement.

MAETERLINCK

Avant qu'on enterre le mort, qu'on porte jusqu'au devant de la scène le cadavre dans son cercueil ; que les amis, les ennemis et les curieux se rangent dans la partie réservée au public ; que le mime funèbre qui précédait le cortège se dédouble, se multiplie ; qu'il devienne troupe théâtrale et qu'il fasse, devant le mort et le public, revivre et remourir le mort ; qu'ensuite on reprenne le cercueil pour le porter, en pleine nuit, jusqu'à la fosse ; enfin que le public s'en aille ; la fête est finie. Jusqu'à une nouvelle cérémonie proposée par un autre mort dont la vie méritera une représentation dramatique...

GENET

DERNIERS RÉCITS DE VIE
(Achternbusch, Beckett)

La scène d'un théâtre est le dernier endroit où l'on s'attendrait à voir se dérouler un "récit de vie". Du moins sous la forme d'un drame. Entre la problématique du récit de vie[1] et la conception aristotélo-hégélienne de la forme dramatique, il existe en effet une double incompatibilité. D'une part, le drame est action et non point narration, il ressortit au mimétique plutôt qu'au diégétique, il n'est pas l'affaire du rhapsode mais celle de l'acteur ; et, s'il y a des récits dans un drame, ils sont soigneusement circonscrits, soumis à la structure générale de la relation intersubjective dialoguée, qu'ils n'interrompent un instant que pour mieux la renforcer. D'autre part, l'étendue du drame paraît inextensible à celle du récit de vie. Depuis Aristote, la fable d'une pièce de théâtre doit être semblable au "bel animal", c'est-à-dire "ni extrêmement petite, ni extrêmement grande" ; or, la fable théâtrale qui prétendrait embrasser l'entièreté d'une vie s'exposerait au danger de l'"extrêmement grand" et donnerait lieu à une pièce monstrueuse, comme serait monstrueux cet animal, évoqué par Aristote, "qui aurait des milliers de stades de longueur".

La question de l'étendue est toutefois susceptible d'accommodements "selon le climat", comme on disait autrefois. Benjamin Constant, lorsqu'il compare le théâtre français au théâtre allemand du *Sturm und Drang*, note que "les Français, même dans celles de leurs tragédies qui sont fondées sur la tradition et sur l'histoire, ne peignent qu'un fait ou une passion : les Allemands, dans les leurs, peignent une vie entière et un caractère entier[2]". Schiller, par exemple, a consacré non pas une seule pièce mais une trilogie à la vie de Wallenstein, œuvre qu'il a lui-même qualifiée de "roman dramatique". Entre le récit de vie et la forme dramatique, le roman sert ici – comme il le fera encore chez O'Neill – de médiateur ; le théâtre, selon l'expression de Bakhtine, se "romanise"... Quant au fait qu'un personnage deviendrait le récitant – ou le rhapsode – de sa propre vie, l'étude des dramaturgies de Strindberg et de Brecht nous a appris qu'une telle scission du personnage n'était pas impossible. Le sujet d'un récit de vie débordera fatalement, au théâtre, le traditionnel "personnage agissant" ; il se dédoublera en une figure, apparemment plus passive, de *personnage souvenant*, c'est-à-dire de témoin de lui-même qui rend compte a posteriori de ses actes et de son existence.

Récit de vie, jeu de mort

Rien d'a priori plus encombrant et informe comme matériau théâtral qu'une vie qui se raconte, qui se débonde, qui se "vide" (Solange dans *Les Bonnes* de Genet : "Que je parle... Que je me vide."). Porter le vécu d'une personne à la scène, quand bien même cette personne revendiquerait le caractère dramatique ou tragique des événements de son existence, suppose la mise en place d'une forme des plus rigoureuses, d'une forme elliptique qui contienne et, même, contraigne la totalité de ce vécu. Une vie est extrême dilatation, extrême dispersion, et le théâtre réclame, en principe, la plus grande concentration. Si l'on fait abstraction de la démarche spécifique du "roman dramatique" – qui caractérise le "roman dramatique familial" d'Eugene O'Neill –, où le théâtre, privé, dans le cadre du récit de vie, de la traditionnelle action dramatique, trouverait-il cette nécessaire concentration sinon dans le temps circulaire d'une *cérémonie* ? dans cette forme anté-dialectique et anté-dramatique, bref *cérémonielle*, qui le renvoie à ses propres origines ?

Les pièces du Bavarois Herbert Achternbusch, *Ella*, *Gust*, *Susn*, *Mon Herbert*, narrent, principalement sous forme de monologues – ou, pour reprendre le vocable ruzzantien, de "parleries" – autobiographiques, la vie entière de leurs protagonistes. Mais elles ne parviennent justement à relever ce défi que parce qu'elles enchâssent le récit de vie dans une temporalité et un espace cérémoniels. Il n'y a pratiquement, chez Achternbusch, qu'un personnage qui parle et raconte, l'autre ou les autres restant muets ou quasi silencieux. Et ce partage entre le silence et la parole se double, sans qu'il y ait obligatoirement coïncidence, d'un autre partage : entre la vie et la mort. La scène, qu'elle représente un poulailler *(Ella)* ou un rucher *(Gust)*, lieux déjà passablement déterritorialisés, ou bien qu'elle se situe explicitement "aux enfers" *(Susn)*, constitue un lieu transitionnel entre la vie et la mort, l'être et le non-être. De ce fait, nous recevons immédiatement comme posthume la parole autobiographique qui nous est délivrée. Ces vies ne nous sont racontées que de n'avoir pu, au fond, être vécues. Ces soliloques ne nous parviennent aux oreilles que parce qu'ils ont été si longtemps – le temps d'une vie – remâchés et ruminés à lèvres closes. Ces paroles sont transcrites du silence, et leur apparente pléthore n'est qu'un stigmate de leur rareté.

Dans *Ella*, la vieille femme qui donne son nom à la pièce "vit" avec son fils Joseph dans un poulailler. Elle est totalement absorbée par le programme télévisé et ne prononce pas un mot. Joseph prépare en silence le café qu'il ne boira qu'à la fin de la pièce, mêle à ce café un poison mortel puis se coiffe d'une perruque de plumes de poule et, ceint du tablier maternel, se met soudain à dévider sans jamais reprendre son souffle, à régurgiter le soliloque qu'Ella, sa mère, a tu durant toute son existence, des années du nazisme à celles du boom économique, de déchéance en déchéance. Joseph avale finalement son café, s'effondre, tandis que sa mère se lève et tourne en rond dans le poulailler en poussant des cris de poule effrayée. La scène d'Achternbusch est un siphon où s'engloutit l'existence entière d'une humaine créature. Parole ombilicale : le récit de la vie de la misérable Ella fait résurgence, in extremis, dans la bouche du fils. Parole testamentaire : Joseph récite la vie de sa mère et ce récit signe sa propre mort. On pourrait dire que Joseph a été possédé, "chevauché" par l'esprit d'Ella. Et la pièce se déroule en effet, au niveau des personnages sinon à celui des acteurs, comme un de ces "théâtres vécus" dont parle Michel Leiris à propos des actes de possession chez les Ethiopiens de Gondar ou dans le vaudou. La parole enfouie et comprimée de la mère ne parvient à s'extravertir qu'au prix du sacrifice du fils, à travers le rituel de cet étrange suicide ; elle ne se manifeste qu'en se portant littéralement hors de celle qui était censée la parler et qu'en prenant en otage le corps du fils. Le personnage dont la vie est narrée – dans son propre langage, dans sa langue sauvage – a dû auparavant atteindre au statut d'un être mythique, d'un esprit, d'un "cavalier", pour reprendre une dernière fois le vocabulaire des initiés.

Par rapport à celui d'*Ella,* le dispositif dramaturgique de *Gust* paraîtra plus rationnel. Gust Anzenberger vit dans son rucher et de son rucher ; journalier agricole à la retraite depuis de nombreuses années, il tire du miel l'argent de ses bières quotidiennes. Lui, c'est sa propre existence qu'il raconte, dans un immense monologue pratiquement ininterrompu : "des années d'histoires et d'Histoire", comme l'a écrit Claude Yersin, traducteur et metteur en scène de la pièce[3]. On pourrait croire à un récit de vie plus classique que dans *Ella*, sans intervention cette fois d'une forme dégénérée du sacré : le "personnage interviewé" dans sa simplicité trétiakovienne[4] dont l'écrivain bavarois aurait été l'interviewer, l'ethnographe et le scribe. "Achternbusch, remarque à ce propos Yersin, a trinqué avec Gust, c'est sûr, il l'a écouté, il a ri de ses malices, de son humour, de sa truculence, il a été indigné par sa dureté, par son égoïsme cupide ; il s'est plu, et là il excelle, à recomposer son langage avec toute l'exactitude d'un auditeur expert en langage et tout le raffinement d'un grand écrivain-poète[3]." Mais, si la pièce se présente effectivement comme une "adresse" de son protagoniste, on doit convenir que cette "adresse" est particulièrement subtile, qu'elle n'atteint le spectateur qu'indirectement et de biais. En fait, la "parlerie" vise d'abord, sans en avoir l'air, le personnage qui partage la scène avec Gust : Lies, sa seconde femme, pratiquement muette, qui ne fait que moduler en une longue plainte le prénom de son mari, qui "guste" ainsi que le note Achternbusch dans une indication scénique. Lies, pendant que Gust dévide sa vie, est en train, elle, de dételer la sienne, tout bonnement d'agoniser. Là encore la mort, plus exactement le cérémonial mortuaire, sert d'intercesseur et structure l'acte théâtral spécifique du récit de vie. Yersin a parfaitement compris cela : il a fait reposer son spectacle sur les gestes rituels du vieux Gust occupé à préparer, avec une brouette branlante et des accessoires de fortune, une espèce de char funèbre, puis à y installer son épouse alors qu'elle n'est pas encore tout à fait morte et raide, enfin à revêtir le costume noir des grands jours...

"La scène (de *Susn*), indique Achternbusch, est obscure. Elle représente les enfers." Le suicide de Susn, qui n'interviendra pourtant qu'à la fin de la pièce ("Susn se lève, s'empare du fusil, l'appuie dans le sable, le front sur le canon, et appuie sur la détente."), est donc consommé d'entrée de jeu. La pièce se découpe en cinq tableaux où l'on voit Susn, jouée à chaque fois par une actrice différente, vieillir de dix ans en dix ans et s'enfoncer par paliers dans la turpitude, l'alcoolisme et le désespoir. Susn n'est pas seule en scène, mais ses partenaires la placent dans la position de l'interviewée, voire de la suppliciée à laquelle on arracherait des aveux – l'aveu, en tout cas, d'une vie manquée. Au premier tableau, l'antagoniste est d'ailleurs, à la lettre, un "confesseur", un prêtre qui se borne à relancer d'un "Raconte-moi tout ça, ça te soulagera" l'immense monologue-confession de la jeune Susn de quinze ans. A partir du troisième tableau, c'est l'Ecrivain présenté comme le compagnon de Susn (l'autobiographie de l'auteur enveloppant celle du personnage), Achternbusch soi-même, qui sert d'accoucheur à la Susn de trente-cinq ans et ne la quittera plus jusqu'à ce qu'elle meure à cinquante-cinq ans. Dans la réalisation de Hans-Peter Cloos, l'Ecrivain se trouvait installé à l'avant-scène et en contrebas, c'est-à-dire à la place du souffleur, à l'endroit stratégique où il pouvait sans cesse anticiper le monologue autobiographique de sa compagne et, du même coup, l'interrompre, l'éteindre, le "souffler". A la fin, armé d'une perche de preneur de son, il achevait d'essorer Susn de son soliloque.

Comme *Ella*, *Gust* ou *Susn*, *Mon Herbert* mériterait d'être appelée une pièce-épitaphe. La défunte à laquelle Achternbusch donne ici la parole, c'est sa propre mère, Louise, sœur d'Ella. Dès sa jeunesse, Louise s'est trouvée partagée, déchirée entre un amour et un rejet aussi absolus l'un que l'autre de ses proches – son fils Herbert, le père de ce dernier, Ella, son amant Robert, etc. Possessive et fuyante en même temps, Louise attend tout au long de la pièce la visite mortuaire que doit lui rendre "son" Herbert. Pareille à ces créatures enténébrées et quasi invisibles qui se font entendre, depuis *Pas moi*, dans les derniers textes théâtraux de Beckett, Louise a déjà franchi, lorsqu'elle attaque son soliloque, le seuil de la mort : "Chaque jour, dit-elle, je me brûle la cervelle plusieurs fois." Sa présence sur scène est purement fantomatique, et son suicide, point d'orgue du monologue qui résume sa vie, non seulement prévisible dès ses premières paroles mais encore programmé comme un acte cyclique : le clou de la cérémonie. A l'issue de cette représentation en forme de cérémonie des adieux, Louise, immanquablement, *se sera tuée*. La pièce et la destinée de sa protagoniste sont de bout en bout dominées par ce futur antérieur et par ce sacrifice toujours déjà accompli qui confèrent au soliloque de Louise son poids testamentaire et prophétique : "Dieu veuille me pardonner ! Et vous qui m'êtes si chers, qui me pleurez. Mais songez un peu, une fois que j'ai fait ce dernier pas, je repose ! Je repose ! Je n'ai plus à lutter (...) plus à me battre pour un nom, pour trouver un père à mon fils, la mort a tout réglé." Dans cette pièce qui se joue sur une tombe entrouverte, le moi épique – l'écrivain Achternbusch – s'érige en exécuteur de la parole testamentaire du moi dramatique – sa mère, Louise. Prononçant la dernière réplique de la pièce, Herbert compose l'épitaphe de Louise : "Le 24 septembre 1974 elle s'est tuée d'une balle de revolver sur son solarium. Légère comme une plume, elle gisait là." A moins qu'il ne s'agisse, à travers l'évocation de la mort de Louise, du chant d'agonie d'Herbert Achternbusch lui-même. A moins que le flux de la parole ombilicale se soit inversé par rapport à Ella et que, par la bouche de la mère morte, sorte la parole à jamais expirante de son poète de fils :

"LOUISE. S'il devait arriver quelque chose à mon fils, tout ce que je demande, c'est : rendez-lui les derniers honneurs, et moi fourrez-moi avec dans le trou. Mais je voudrais dans la mort tenir sa main, sa main chérie, pour qu'il ne soit pas seul. Si possible couchez-le sur moi, pour qu'il repose plus mollement."

Infinies sont les surprises et les ruses de cet acte de possession qui préside au rituel du récit de vie. Personnage de la dernière minute, l'Achternbusch de *Mon Herbert* lance à sa mère, laquelle récite soudain un des poèmes qu'il a écrits dans sa jeunesse, un avertissement qui résume son attitude d'écrivain à l'égard des créatures autobiographiques qui hantent ses pièces : "Je te fais rendre mon poème par la gueule si tu n'arrêtes pas !"... Dans chacune de ces quatre pièces, le levier de la mise en théâtre du récit de vie n'est autre que la mort, à peine suspendue, de son locuteur. Le décès de Lies, la pseudo-interlocutrice de Gust, ne constitue, à cet égard, qu'une feinte dramaturgique et une approche, encore plus saisissante et elliptique, de la disparition du rôle-titre. Fin de *Gust* : "*(Elle meurt. Il se détourne.)* Maintenant faut que je m'en aille, sans ça je vais attraper des douleurs d'adieux. Je me suis toujours dit que j'aurais jamais dix-huit ans, ça a-t-il duré longtemps jusqu'à ce que j'aie eu dix-huit ans ? Mon Dieu ça a été quelque chose de lent ! Et maintenant d'un coup j'en ai quatre-vingt-trois..." Le récit de vie survient in extremis et dans les douleurs et, pour paraphraser Beckett, c'est ici le fossoyeur qui applique les fers.

Toute une vie : un instant de théâtre

Sur la scène, le récit de vie ne saurait, sous peine de se dévitaliser et de se déthéâtraliser, se dérouler linéairement à la manière d'une rétrospection thématique ou chronologique ; il s'inscrit dans une temporalité circulaire où naissance et mort apparaissent, toujours selon une expression de Beckett, comme "le même instant". Parole en laquelle on ne parvient pas à démêler le premier babil des derniers mots de l'expirant. "Sa naissance fut sa perte. Rictus de macchabée depuis. Au moïse et au berceau. Au sein premier fiasco. Lors des premiers faux pas. De maman à nounou et retour. Ces voyages. Charybde Scylla déjà. Ainsi de suite. Rictus à jamais. De funérailles en funérailles. Jusqu'à maintenant. Cette nuit. Deux billions et demi de secondes. Peine à croire si peu." Au vertigineux résumé de vie du Récitant de *Solo* fait écho l'expression lapidaire du Souvenant de *Cette fois* : "A peine venu parti". Raccourci implacable, ligature des extrêmes, absolue contraction, qui font de l'entrée dans la vie le prélude de la cérémonie des adieux, qui créent un temps et un espace ambivalents – à la fois minimaux et infinis, dilatés et resserrés, à l'instar de toute liturgie.

"Mourant de l'avant" : l'étrange démarche très inclinée, au bord de la culbute, qui, depuis les premiers romans, caractérise les créatures beckettiennes, trouve peut-être sa signification dans ce lapsus calculé du Récitant de *Solo*. Mais, si Beckett exhausse, dans *Pas moi* puis dans *Cette fois*, ses personnages souvenants sur une estrade noyée dans l'obscurité à "environ trois mètres au-dessus du niveau de la scène", c'est parce que cette nouvelle situation rend encore mieux compte que l'ancien cheminement ou enfouissement (dans la terre, les cendres, les jarres) de l'inéluctable disparition. Et s'il insiste désormais sur la chevelure blanche ou la "longue chemise de nuit blanche" de ses personnages, c'est sans doute afin de souligner leur stature – et leur statut – de *gisants debout* sur la scène, ce vertical reposoir : "Vieux visage blême légèrement incliné en arrière, longs cheveux blancs dressés", du Souvenant de *Cette fois* "comme vus de haut étalés sur un oreiller"... Le récit du Souvenant ne s'enclenche qu'à partir du moment où la mort, qui le travaille au corps, a suffisamment fait en lui le vide de la vie ; à partir du moment où il a revêtu son "vaste suaire" : "et plus un bruit heure après heure plus un bruit où tu as essayé tant et plus et n'as pas pu plus moyen plus de mots pour contenir le vide alors plus qu'à renoncer là à la fenêtre dans le noir nuit noire ou clair de lune y renoncer pour de bon et le laisser venir et pas plus mal qu'avant vaste suaire venu t'ensevelir et pas plus mal qu'avant ou guère pas plus ou guère".

L'avènement du récit de vie est concomitant de cet évanouissement du corps. La bouche, ce trou qui constitue le seul vestige anthropomorphique de la protagoniste de *Pas moi*, ne laisse tomber des paroles, un peu comme une bave, qu'après qu'elle s'est séparée, délestée du vieux corps : "tout le corps comme en allé... rien que la bouche... comme folle... et ne peut pas l'arrêter... impossible l'arrêter". Le corps a fui dans les marges d'invisible de la scène et là, chevauchant le néant, il s'est métamorphosé en une voix, en une polyphonie de voix. Voix antiques des Parques ou de la Moire qui prennent la vie à rebours et décrètent que l'existence ne sera plus désormais qu'un "Moins à mourir. Toujours moins. Tel le jour le soir venu" *(Solo)*. Tandis que May fait les cent pas sur la scène, en attente de sa propre disparition, la voix off de *Pas moi* parle au passé de la vie de la mère de May :

"MAY. Quel âge ai-je... déjà ?

VOIX. Et moi alors ? *(Un temps. Pas plus fort.)* Et moi alors ?

MAY. Quatre-vingt-dix.

VOIX. Tellement ?

MAY. Quatre-vingt-neuf, quatre-vingt-dix.

VOIX. Je t'ai eue tard. *(Un temps.)* Dans ma vie."

De la vie et de la mort le dernier théâtre de Beckett ne nous donne en fait à voir et, surtout, à entendre, que le temps intermédiaire, à la fois très long et très court, le temps dichotomique de ce *trépas* à la faveur duquel toute une vie repasse par la bouche – ou les oreilles – du personnage récitant, souvenant, bref : *agonisant.* La cérémonie des adieux est empreinte, chez Beckett – comme d'ailleurs chez Achternbusch ou chez Thomas Bernhard –, de cette "angoisse" et de cette sourde "lutte" dans l'intime de l'être qui entrent dans l'étymologie du mot "agonie". Restée "muette toute sa vie... pratiquement muette... même à elle-même", Bouche de *Pas moi* est soudain surprise par "une voix que d'abord... elle ne reconnaît pas... depuis le temps... puis finalement doit avouer... la sienne... nulle autre que la sienne..." Or, que va dire cette voix de la dernière heure qui, pour être celle de Bouche, n'en vient pas moins des ténèbres extérieures ? *"Comment ç'avait été... Comment elle avait vécu."*

Le trait le plus saisissant, dans l'évolution du théâtre de Beckett, c'est la renonciation à la relation inter-individuelle (d'ailleurs Vladimir et Estragon, déjà, étaient-ils deux personnages distincts ou bien *ego* et *alter ego* ?), au profit d'une Figure unique qui compulse sa propre vie et se trouve du même coup confrontée à la multiplicité discordante des états, successifs ou simultanés, de soi-même, à la non-concordance avec soi. Dans une vie – ou un récit de vie – qui inlassablement tourne en rond, la seule différence entre l'enfance et la vieillesse réside dans le poids de l'angoisse accumulée au cours de l'infini ressassement :

"VOIX. N'auras-tu jamais fini de ressasser tout ça ? (...)

MAY. Ça ?

VOIX. Tout ça. *(Un temps.)* Tout ça."

Afin d'exorciser la peur d'être seul au monde, l'enfant se "met en plusieurs" ; il parle à plusieurs voix, mais ces voix n'en finiront jamais de le hanter, de s'introduire dans sa tête, non pas comme de simples habitantes, plutôt comme des ouvrières occupées à un curetage, à la démolition et à la désaffectation d'un *lieu d'être*. Ainsi se retrouve le quinquagénaire de *Dis Joë*, assis au bord de son lit, dans l'intimité de la mort, dans l'intimité de la voix d'une femme à jamais disparue qui instille à l'intérieur de sa tête l'obsession de l'ultime passage :

"VOIX. Tu sais cet enfer de quatre sous que tu appelles ta tête... C'est là que tu m'entends, non ? (...) Le souffle dans ta tête... Moi dans ta tête te soufflant des choses... Dont le sens t'échappe... Jusqu'à ce que tu viennes... Te joindre à nous..."

Dans *La Dernière Bande*, le Krapp de soixante-neuf ans se délecte de sa "viduité", de son veuvage de lui-même, à l'écoute, réglée comme une liturgie dérisoire, d'anciens enregistrements magnétiques de sa propre voix. Dans *Dis Joë* ou dans *Berceuse* – dont la chute est : "Aux gogues la vie" – une voix "off" sidère, méduse, euthanasie un corps "in". Dans l'*Impromptu d'Ohio* un Lecteur achève de lire à un Entendeur silencieux – les deux "aussi ressemblants que possible" – la "triste histoire" de l'extinction de toute vie et entraîne son double dans l'immobilité cadavérique : "Ainsi la triste histoire une dernière fois redite ils restèrent assis comme devenus de pierre." Mais c'est dans *Cette fois* que Beckett nous donne la version la plus radicale du récit de vie, son "dernier récit de vie" en quelque sorte. Le personnage unique, désigné sous le nom de Souvenant, se trouve interpellé par trois voix issues de lui-même ; il fait ainsi office de prêtre, de délégué de l'ensemble de la communauté humaine pour célébrer la fuite immobile d'une vie, la réversibilité de la vie et de la mort. *"Bribes d'une seule et même voix, la sienne,*

A, B, C lui arrivent des deux côtés et du haut respectivement" : telle est la chirurgie à laquelle Beckett se livre sur l'individualité humaine au moment où il s'apprête à lui donner la parole.

"A. Te parlant tout seul à qui d'autre conversations imaginaires l'enfance que voilà dix onze ans sur une pierre au milieu des orties géantes tout à tes inventions tantôt une voix tantôt une autre jusqu'à en avoir la gorge en feu et les grailler toutes pareilles bien avant dans la nuit quand ça te prenait (...) devisant tout seul se divisant en plusieurs pour se tenir compagnie là où jamais nul ne venait."

Pour prendre la parole et tenter de se raconter, le personnage aura préalablement dû avaler, tel un ogre, ces voix qui furent la sienne.

Ici, Cronos ne se donne plus la peine de dévorer ses enfants ; il se contente de pousser chacun à s'auto-dévorer. La cérémonie du récit de vie culmine dans la cruauté d'un acte de cannibalisme dirigé contre soi-même. Acte d'autophagie qu'on aurait également pu déceler chez Achternbusch. L'Ecrivain à sa compagne, au début du cinquième tableau de *Susn* : "*([Il] présente à la vieille Susn la Susn juvénile et la Susn étudiante, toutes crottées.)* Susn, je t'ai amené ces deux-là (...). Elles peuvent te faire un petit feu, s'il fait froid ! Et la viande, elles peuvent te la mâcher d'avance. Montrez voir vos petites dents ! Et si tu as froid la nuit, elles te réchaufferont de leurs petits corps. S'il fait soleil, elles porteront devant toi un parasol, et s'il fait de la pluie, naturellement, un parapluie. Tu peux naturellement manger une des deux. Ou toutes les deux..."

In vitro, en l'occurrence sur la scène, dans ce milieu stérile, naissent à partir du rien et meurent pour tenter de retourner à ce rien, entre-temps se racontent, racontent leur rien, les pseudo-créatures qui peuplent et dépeuplent le théâtre de Beckett – ou celui d'Achternbusch. Le récit de vie ne s'accomplirait jamais pleinement au théâtre sans cet instant sacrificiel, sans cet instant de la mise à mort des êtres fantomatiques que la créature a engendrés. Instant définitif qu'on ne saurait décoller de cet autre, prétendument initial, où l'être soi-disant unique s'est scindé en plusieurs à la faveur d'une espèce de scissiparité ou, comme eût dit Strindberg, de "parthénogénèse de l'âme". Dans la lignée de Strindberg, Achternbusch et Beckett dressent un portrait scénique de l'homme en compagnie de ses fantômes intimes. La solitude du personnage récitant ou souvenant n'a rien à voir ici avec le classique "monodrame" ; elle ne se fonde plus sur une quelconque "unité" de l'être, mais sur son irréparable dissociation ; elle n'est pas prétexte à un dialogue prométhéen avec les dieux ou à un "dialogue solitaire" avec un dieu plus ou moins caché ou muet ; elle devient simplement le lieu du banal soliloque de cette théorie de dieux avortés auxquels l'individu a cru, avec sa propre chair et sa propre voix, donner naissance. Dès lors le récit de vie est mort-né et il ne raconte qu'une chose, une chose mortelle : "cette maladie qu'on appelle l'homme".

Ella, Gust, Susn, Louise chez Achternbusch, le Souvenant chez Beckett, l'Inconnu du *Chemin de Damas* ne recouvrent pas le moi du personnage, de l'auteur ou du spectateur, mais ce qui de ce moi se dérobe et déborde : la Figure vacante et, pour cette raison, *récitante* de ces forces invisibles qui dans la vie nous possèdent. Ces "autres en nous-même" bénéficiaient encore dans le théâtre de Strindberg, au début du siècle, d'une certaine Figuration ou Représentation. Ils avaient l'épaisseur spirituelle des fantômes, leur néant était habillé ; ils s'avouaient explicitement, tout au long du périple halluciné de l'Inconnu, comme des projections, des doubles ou des objets d'identification ; ils faisaient au protagoniste des signes de reconnaissance. Au lieu que, dans le dernier théâtre de Beckett, toute figuration tend à disparaître. Le corps du Souvenant est presque définitivement englouti et les voix, d'avoir trop "graillé", sont devenues indistinctes. Dans *Le Chemin de Damas*, le récit de vie – cette énorme confession dramatique – s'effectuait encore par l'entremise d'un personnage parcourant les stations d'un "chemin de croix", ce mouvement fût-il parfaitement répétitif. De cette métaphore de la vie comme chemin de croix, il ne reste plus chez Beckett qu'une synecdoque : le Souvenant est le stationnaire d'une seule station. S'il voyage encore à l'intérieur de sa propre existence, c'est dans l'immobilité la plus complète. De ce chemin de croix auquel pourrait être comparée la vie, qui aurait peut-être pu donner encore un sens au récit de vie, le personnage beckettien est définitivement revenu. C'est ce que nous avait signifié Krapp dès *La Dernière Bande* : "Installe-toi là dans le noir, adossé aux oreillers, et vagabonde."

Les temps ne sont plus, aujourd'hui au théâtre, à un récit de vie en expansion (à la médiation schillérienne du "roman dramatique", qui permettait de concilier la forme dramatique et l'étendue du récit de vie). "C'est un fragment, la vie", constatait l'Inconnu de Strindberg... Ce qui tient désormais lieu de récit de vie n'est autre que la mise en scène de ce Fragment – de ce Texte – et la lecture, à la fois liturgique et impie, par un Souvenant ou autre Récitant – homme-fragment, homme-pion –, du très ancien "livre de vie" devenu, à l'usure du temps, "livre de mort".

NOTES

1. A l'origine de ce chapitre, une intervention lors du colloque "Récits de vie et institutions" organisé par Claude Abastado et le Centre d'Etudes de Sémiotique textuelle de l'Université Paris X-Nanterre les 26 et 27 avril 1985, intervention publiée dans les *Cahiers de Sémiotique textuelle*, 8-9, Université Paris X, 1986.
2. Benjamin Constant, "De la tragédie de *Wallenstein*, par Schiller, et du théâtre allemand", in *Œuvres*, Gallimard, "Bibliothèque de la Pléiade", 1957, p. 902.
3. Ces deux citations de Claude Yersin sont extraites de : Herbert Achternbusch, *Gust*, texte français de Claude Yersin, L'Arche, coll. "Scène ouverte", 1984.
4. Serge Tretiakov, écrivain soviétique des années trente, a élaboré une théorie du "personnage interviewé", qui "se souvient et inventorie sa propre vie, ses propres expériences". A propos du personnage éponyme de son livre *Den Shi Shoua, la vie d'un révolutionnaire chinois*, Tretiakov note : "Il ouvrit honnêtement les admirables fonds de sa mémoire. J'y ai creusé comme un mineur, sondant, faisant sauter, cassant, choisissant et débourbant. J'étais tour à tour juge d'instruction, confesseur, interviewer, interlocuteur et psychologue." (Serge Tretiakov, préface de *Den Shi Shoua*... citée par Jean Jourdheuil in *L'Artiste, la politique, la production*, 10 x 18, 1976.)

Thomas Bernhard
ou
LE TRAVAIL DE MORT

A sa rivale Créuse, la Médée de Corneille offre une "robe fatale" qui va la transformer en torche vivante et la faire périr lentement, au vu du public, dans des flammes inapparentes. "J'ai feint, explique l'auteur dans l'*Examen* de sa pièce, que les feux que produit la robe de Médée étaient invisibles, parce que j'ai mis leurs personnes sur la scène dans la catastrophe. Ce spectacle de mourants m'était nécessaire pour remplir mon cinquième acte..." Tout aussi invisible et tout aussi fatale, l'"épouvantable camisole" – l'expression est du personnage de l'Auteur dramatique dans *Au but* – que Thomas Bernhard fait endosser à ses propres créatures. Chaque pièce de l'écrivain autrichien est, dans son entier, pareille au dénouement de *Médée* de Corneille : une *catastrophe* ; je veux dire l'acte essentiel du théâtre, l'acte, qui défie la bienséance, d'un théâtre de l'essentiel : la mort en scène. "Tout ce qu'on dit est toujours sur la mort", a déclaré Thomas Bernhard dans une allocution[1]. Mais, dans le théâtre intime, la mort ne saurait être simplement dite ; elle se doit d'être présente et "en travail" – "La tâche de mourir, dirait Blanchot, qui est un travail." C'est la mort qui, tel un personnage allégorique de l'ancien "théâtre du monde", prend alors directement la parole sur la scène. Elle devient le porte-parole du personnage dramatique et son ombre portée. Ou "portante", si l'on pense qu'elle tient – dans tous les sens du terme – le personnage et l'érige en une figure verticale, en un *gisant debout.*

Cette mort de la catastrophe théâtrale, du théâtre comme lieu unique de la catastrophe, est certes intime – j'entends qu'elle habite le personnage, qu'elle parle du dedans de lui –, mais elle n'a rien d'individuel – rien à voir, par exemple, avec la mort romanesque qui transforme une vie en destin – ; elle est au contraire la mort commune, la mort indivise de tous les hommes, seule espèce de l'univers à se savoir mortelle. La mort théâtralisée bernhardienne, semblable à celle qui hante les pièces de Genet, se présente à la fois comme un savoir et comme une matière : enfermer le personnage dans l'"épouvantable camisole", c'est prendre son empreinte définitive, son moulage funèbre, sculpter la mort dont il est investi pour le mettre en *gloire* théâtrale. La première opération du théâtre de Thomas Bernhard, c'est la *décomposition* : "Au fond, dit à la Générale l'Ecrivain de *La Société de chasse*, nous ne sommes composés de rien d'autre que de la mort / Quand nous regardons un être humain / quelque être humain que ce soit / nous voyons un mourant (...) Vous comprenez/ nous sommes morts/ tout est mort/ tout en nous est mort / tout est mort."

Lorsque tout dans le drame tend à l'immobilité, à cette abolition de l'action qui signe la mort du drame, c'est la mort elle-même qui prend le relais, et se met lentement en action. "A coups d'archet / glisser / dans la mort", dit Caribaldi, le directeur deux fois dépossédé de *La Force de l'habitude* à qui échappent à la fois son cirque et son quintette à cordes. Le geste théâtral de Thomas Bernhard n'est pas différent de celui que décrit si minutieusement le Docteur tout au long de *L'Ignorant et le Fou* : l'autopsie, la dissection complète et méthodique d'un cerveau humain, siège du théâtre intime. Chaque coup du fin scalpel que tient l'écrivain délie une articulation du corps théâtral et libère la parole posthume du personnage. Le vivant n'a pas droit de cité sur cette scène qui n'est que "désolation", "démolition", "écroulement", "cloaque", mais seulement la mort exhibée, fouillée, disséquée... Le vivant n'est qu'un domaine limitrophe du territoire bernhardien, une contrée dont il convient de s'exiler afin de franchir ce seuil de la mort qui ne fait qu'un avec celui du théâtre. La catégorie du vivant s'efface devant celle de la *mécanique* : "De même que je remonte l'horloge / Je me remonte moi-même tous les jours", déclare Herrenstein, le protagoniste d'*Elisabeth II.* Et il est vrai que les personnages de ce théâtre sont plus proches de la marionnette ou de l'automate que du modèle humain ; on les dirait apparentés à la "surmarionnette" de Gordon Craig, qui "ne rivalisera pas avec la vie, mais ira au-delà ; elle ne figurera pas le corps de chair et d'os, mais le corps en état d'extase, et tandis qu'émanera d'elle un esprit vivant, elle se revêtira d'une beauté de mort[2]".

Puisque la mort et la catastrophe préludent à son apparition, le personnage bernhardien n'a d'autre recours que nous donner à voir sa propre disparition. Si le Président est exposé, à la fin de la pièce homonyme, sur un catafalque, c'est parce que sa dépouille mortelle doit se relever et nous donner sans répit le spectacle de son agonie. Mime funèbre, cérémonie des adieux... Mais si le personnage est toujours déjà mort, il reste à jamais *souvenant,* c'est-à-dire presque *survivant* : "HERRENSTEIN. Quand nous avons tout oublié / nous n'avons plus rien / alors nous sommes morts / nous n'existons en fait / que parce que nous n'avons pas tout oublié encore" ; et le protagoniste du *Réformateur* : "Quand nous nous arrêtons / nous sommes morts / Je suis un fantôme / Mais je ne lâche pas / Jamais". "Tête-morte", dirait Beckett : entêtement du personnage bernhardien à proférer, au-delà de la mort, le discours de sa propre disparition.

Le dernier soliloque

"J'entame mon dernier soliloque", pourraient annoncer, à l'instar du Hamm de *Fin de partie*, tous les protagonistes des pièces de Thomas Bernhard. La référence au théâtre de Beckett est d'ailleurs inévitable. Désertification du monde autour d'un moi frappé d'immobilité (une ironique résurgence du thème de Prométhée), compulsion du corps et des souvenirs, mise en exergue pascalienne du divertissement (la Générale de *La Société de chasse* : "Tromper le temps / rien que tromper le temps"), réversibilité de la naissance et de la mort, majoration grotesque d'un corps à la fois excessif et délabré, relation interpersonnelle traitée en jeu superlatif du maître et de l'esclave, insistance sur la répétition comme "puissance terrible" (Kierkegaard), tendance des personnages à s'exprimer par aphorismes ou apophtegmes, extrême concentration ou condensation de l'univers dramatique : autant d'affinités entre le théâtre de Thomas Bernhard et celui de son grand aîné. D'une de ses premières pièces, *Une fête pour Boris*, dont le personnage principal, la Toute-Bonne, amputée des deux jambes à la suite d'un accident, est véhiculée sur un fauteuil roulant par Johanna, sorte de Clov féminin, à la dernière à ce jour, *Elisabeth II*, où le serviteur Richard rend le même service au riche et puissant vieillard Herrenstein, Thomas Bernhard multiplie les "fins de partie" et joue ses propres variations sur des thèmes et des formes beckettiens. Et ce ne serait en rien diminuer le génie de Beckett ni celui de Bernhard que de constater que le second traite la dramaturgie du premier comme un lieu commun – *topos koinos*.

Tout se passe, dans un premier temps, comme si Bernhard voulait durcir encore, par rapport à Beckett, la solitude et le solipsisme de ses personnages. Par exemple, l'obsession de Hamm de se trouver au centre de la chambre – et, donc, du monde – peut paraître légère au regard de celle que manifeste le protagoniste de *Simplement compliqué* : "Nous n'existons, proclame cet ancien acteur de quatre-vingt-deux ans, que quand nous sommes pour ainsi dire / le centre du monde." Le retirement du personnage bernhardien, ce double mouvement immobile de retrait et de rétraction ne se solde pas, comme chez Beckett ou le Kafka de *La Métamorphose*, par un adieu à la scène du monde ; il révèle, au contraire, la propension du personnage-araignée à prendre le monde entier au piège qu'il a tissé et à dévorer tout ce qui peut encore l'entourer. Si le vieillard bernhardien, "cloué ici" *(Le Réformateur)*, constate, en allant regarder à une fenêtre *(Simplement compliqué)*, que "rien ne (le) regarde plus / pas la moindre chose", c'est avec la délectation morbide de celui qui a fini par tout avaler de ce qui constitue l'autre, de ce qui constitue le monde. "Ne pas se soucier du tout du reste du monde / porter l'univers en quelque sorte / tout seul sur sa tête et le mettre en pièces / le pulvériser", professe Karl dans *Les apparences sont trompeuses*.

Mettre en pièces le monde afin de pouvoir en boucle l'ingérer, le déféquer, l'ingérer... Ici le moi, même mort, n'arrête jamais d'absorber un monde qui n'est que sa propre déjection, son "ordure", son "cloaque". "Le monde, dit encore le Réformateur, est un cloaque / d'où nous vient la puanteur / ce cloaque doit être vidé." Le cornet acoustique auquel ce personnage a recours ne lui permet pas de mieux entendre la femme avec laquelle il vit ou les illustres visiteurs qui viennent le nommer docteur honoris causa ; il n'est que le prolongement de sa bouche édentée et l'instrument de la permanente vidange. Le moi, ainsi que nous l'indique une dénégation du même Réformateur, est l'ogre de l'autre, l'ogre du monde : "Pourquoi ne viens-tu pas ? demande-t-il à sa compagne. Je ne suis pas un cannibale." Un ogre ou un cannibale que tant de manducations et de digestions auraient rendu malade et anorexique – "*Le Réformateur se prend le cou* : Je ne peux plus avaler / Je veux avaler et ne le peux pas" –, tel est le protagoniste des pièces de Thomas Bernhard.

Comme chez Beckett, la vieillesse n'a d'autre fonction que d'intensifier le travail de la mort à l'intérieur du personnage. La vieillesse du personnage bernhardien, c'est l'état rétrospectif de la vie, le moment de faire le bilan du combat entre le moi et le monde : "Si nous supprimons tout", conclut le Réformateur, grand "bienfaiteur de l'humanité", "si nous détruisons tout / tout est à nouveau là / Nous sommes contre et le supprimons / et c'est à nouveau là / *(à soi)* Si nous renversons le souverain / le prochain est déjà là assis/ et c'est le même". Dans cette optique, la plus grande vieillesse c'est la plus tendre enfance, mais déniaisée, démythifiée, confondue. "C'est une erreur, confiait, dans un entretien, Thomas Bernhard à André Müller, quand les gens croient qu'ils mettent au monde des enfants. Ils accouchent d'un aubergiste ou d'un criminel de guerre suant, affreux, avec du ventre, c'est celui-là qu'ils font naître, pas des enfants. Alors les gens disent qu'ils vont avoir un petit poupon, mais en réalité ils ont un octogénaire qui pisse l'eau de partout, qui pue et qui est aveugle et qui boite et que la goutte empêche de bouger, c'est celui-là qu'ils mettent au monde[1]." Parce que le privilège – ou la mission – du théâtre est de prendre la vie à contre-courant, la scène bernhardienne accouche de la vérité de l'enfant : le vieillard paralysé, amputé, sourd, aveugle, édenté, incontinent.

Figure carnavalesque de la mort enceinte ; sacre dérisoire, au-dessus d'une tombe ouverte, du marmot octogénaire.

La plupart des protagonistes de Thomas Bernhard sont ainsi les têtes couronnées d'une ridicule apothéose : la Toute-Bonne, qui se veut "reine", porte une "lourde couronne" et la cantatrice de *L'Ignorant et le Fou* celle – un accessoire d'opéra – de la Reine de la nuit de Mozart ; le Réformateur est coiffé d'une perruque ; le Faiseur de théâtre possède un bonnet de coton sans lequel il est incapable de penser ; le vieil acteur de *Simplement compliqué* a gardé, après la retraite, la couronne de Lear, etc. Tous se plaignent du poids qu'ils doivent porter sur la tête et nous font alors penser, sous leurs masques de vieillards, au nouveau-né qui ne peut encore tenir sa tête levée, qui ne peut tenir tête au monde. "Maintenant je suis cloué ici / et dépends de la bienveillance de mon entourage / de la sollicitude de mes proches", se plaint auprès de sa compagne-esclave le Réformateur du monde. Plus encore que la réversibilité de la naissance et de la mort, Thomas Bernhard aime à mettre en scène le retournement du moi dans son brutal passage de la souveraineté au dénuement. Dilaté à l'extrême, au point de ne plus percevoir le monde et l'autre que comme ses propres *parasites* (le Réformateur : "Où que je regarde / Je ne vois que des parasites" ; "Ma compagne de vie / mon petit mal nécessaire"), le moi du protagoniste bernhardien n'a point d'autre extension possible que lui-même. "Je ne vois que mes contours", déclare Herrenstein, dans *Elisabeth II*, au moment où il s'apprête à recevoir, venue assister de son balcon au passage de la souveraine anglaise, la haute société viennoise : "une masse gris-noir qui murmure / papotage incompréhensible ragots".

Le processus à la faveur duquel un être s'accomplit et se distingue sur le théâtre du monde est aussi celui de son irrémédiable isolement et de sa chute. Ainsi de la Reine de la nuit, personnage plus jeune que les précédents, mais que l'auteur nous présente le soir même où, après des centaines de représentations de *La Flûte enchantée*, elle décide soudain de renoncer à chanter ("à l'avenir tout décommander"). Au père de la Reine de la nuit, le Docteur explique les ressorts de sa fille : “une créature parfaitement artistique / un tel être humain devenu / une créature parfaitement artistique / qui n’est d’ailleurs plus un être humain / cher monsieur/ ne peut plus à partir d’un certain moment / voir absolument personne / que lui-même / seulement lui-même / il n’y a plus rien que moi / se dit une telle créature”. Schizophrénie, paranoïa, mégalomanie sont les vocables dont les personnages de Bernhard recouvrent eux-mêmes les affections de leur moi. Un moi auquel conviendrait cette expression de “forteresse vide” qu’emploie Bettelheim à propos des enfants autistiques. Autour de ce vide d’où émerge la parole posthume, le monde entier, un instant, est satellisé. Avant que de se trouver, à l’image des invités d’Herrenstein lorsque le balcon cède sous leurs pieds, précipité dans l’abîme. Car, sur le théâtre de Thomas Bernhard, le monde et le moi sont promis à la même catastrophe.

Cette représentation de l’humaine condition sous forme d’un portrait – ou autoportrait – de l’artiste et du penseur au déclin n’est, encore une fois, pas étrangère à la dramaturgie de Beckett. Mais le véritable territoire indivis des deux dramaturges – là où se joue aussi toute leur différence –, c’est incontestablement celui d’un théâtre du débit mental et du soliloque. Comme les personnages de Beckett, particulièrement ceux des pièces les plus récentes, les personnages de Bernhard ne connaissent point d’autre intimité qu’en circuit fermé avec *eux-mêmes* : “Toute la vie intimité / avec moi-même / jusqu’à la mégalomanie” (le vieil acteur de *Simplement compliqué*). De la naissance à la mort et de la mort à la naissance – cette mort programmée –, la créature bernhardienne creuse l’intimité avec soi-même, jusqu’à pouvoir se proclamer, tel le jongleur d’assiettes de *Les apparences sont trompeuses*, un “artiste en soliloque”. Dans le théâtre de Beckett comme dans celui de Strindberg, la pratique du soliloque produit une scissiparité de la psyché individuelle. Dans celui de Thomas Bernhard, l’expérience de “se mettre en plusieurs” et de parler à plusieurs voix a beau être revendiquée (la Mère, dans *Au but* : “C’est toujours avec moi-même que je me divertissais le mieux (…) Je suis plusieurs voilà ce que je suis / Je suis tant de gens à Katwijk mon enfant”), elle ne convainc pas. Contrairement au strindbergien et au beckettien, le moi bernhardien paraît sans clivage : un monolithe qui écarte toute idée de contradiction et de polyphonie à l'intérieur de soi ; une parole pléthorique et ressassante entièrement dévolue à une idée fixe (Minetti : "Soudain nous succombons à une idée / et nous poursuivons cette idée / et nous ne pouvons plus faire autrement / que de poursuivre cette idée") ; une parole qui s'apparente plus, en définitive, au discours ou à l'*imprécation* qu'au véritable soliloque. En d'autres termes, le soliloque bernhardien est à ce point le dernier qu'il a perdu toute souplesse, tout sens du jeu entre soi et soi, qu'il est atteint lui-même par la raideur cadavérique du personnage protagoniste. Mais, si elle ne procède plus ni de l'échange des répliques ni du dialogue intrasubjectif entre ego et alter ego caractéristique du soliloque beckettien, la théâtralité bernhardienne naît d'un autre partage : entre le discours et le silence, entre celui qui parle et celui qui se tait. Que tout se joue dans cette tension, le mouvement du drame comme celui de la vie réelle, la Mère, protagoniste de *Au but*, le proclame à la face de sa fille à jamais enfoncée dans un mutisme presque total : "Ces effrayants rôles muets / ces personnages éternellement silencieux / ils existent aussi dans la réalité / L'un parle l'autre se tait / il aurait peut-être beaucoup à dire / mais ça ne lui est pas permis / il doit supporter jusqu'au bout cet intenable effort / Nous mettons tout sur le dos de celui qui se tait."

De Clara, le personnage le moins loquace d'*Avant la retraite*, sa sœur Vera souligne, en des termes fort strindbergiens, qu'elle est "la plus forte", celle qui "joue le rôle le plus difficile", car "en restant silencieuse / elle maintient la comédie en marche". Tel est le principe dramatique et le dispositif initial des pièces de Thomas Bernhard : un sourd combat entre le discours monolithique obsessionnel du protagoniste – propre à faire "courber l'échine" de quiconque doit le subir – et le silence de l'antagoniste.

Cérémonie intime

"Nous sommes une conspiration" est un leitmotiv bernhardien qui signifie que le protagoniste et son (ou ses) satellite(s) vont donner un caractère secret et rituel à leur confrontation. La relation a priori la plus quotidienne et la plus intime est ainsi appelée à prendre une dimension cérémonielle. *Avant la retraite*, pièce dont le protagoniste est d'abord Vera – sœur d'un ancien directeur-adjoint de camp de concentration, devenu, dans les années soixante-dix, président du tribunal et député d'une ville d'Allemagne – puis son frère lui-même (car la fonction de protagoniste peut être *tournante*), se déroule le 7 octobre, jour anniversaire de la naissance d'Himmler. "Cet anniversaire, dit Rudolf, nous le célébrons d'ailleurs très simplement / tout à fait entre nous et dans l'intimité." La contradiction apparente entre l'idée de célébration, voire de culte, et l'intimité produit la dynamique de cette "comédie de l'âme allemande". La "fin de partie" bernhardienne est tout aussi *condensée* mais plus *socialisée* que la beckettienne : le théâtre du monde et le théâtre de l'histoire s'y trouvent mis en abyme dans le théâtre intime. Vivant comme des reclus, Rudolf, l'ex-officier nazi, et Vera, avec laquelle il entretient des rapports incestueux, continuent, dans leur système autarcique, à vivre et à penser, sous le regard réprobateur de leur sœur Clara, comme les nationaux-socialistes qu'ils ont été et persistent à être. En toute bonne foi, pourrait-on dire, et avec un certain optimisme :

"VERA. Oh Rudolf est-ce que nous verrons ça / Je ne crois pas que ça dure longtemps / avant que nous puissions avouer ouvertement ce que nous sommes / avant que le droit ne soit rétabli / dans le monde (...) Et pourtant la majorité pense comme nous / la majorité se cache c'est ça qui est effrayant / c'est tout de même absurde / la majorité pense comme nous et ne peut le faire qu'en secret / Même s'ils prétendent le contraire/ ils sont tous nationaux-socialistes (...) C'est ça qui est épouvantable Rudolf / que nous ne puissions pas montrer au monde qui nous sommes / nous ne le montrons pas / au lieu de le montrer de le montrer ouvertement."

Rudolf, qui ordonne le triomphe en chambre – une chambre qui se veut le monde – du IIIe Reich, est un Prospero de l'intime ; dans son cerveau fécond se sont invaginées la scénographie et la dramaturgie du nazisme :

"VERA *(apostrophant Clara)*. Nous avons bien rodé notre pièce de théâtre / depuis trente ans que les rôles sont distribués / chacun a sa partie / repoussante et dangereuse / chacun a son costume / malheur si l'un se glisse dans le costume de l'autre / Quand fermer le rideau / nous en déciderons tous les trois ensemble / Aucun de nous n'a le droit / de fermer le rideau quand il lui plaît / c'est contrevenir à la loi / A certains moments je me vois effectivement / sur une scène / et je n'ai pas honte devant les spectateurs / comme toi qui as honte / que la honte a déjà rendue presque folle / moi je n'ai pas honte / Nous ne continuons / que parce que nous nous donnons réciproquement la réplique / à exister : toi moi et Rudolf."

L'involution du théâtre de l'histoire en théâtre intime ne fait qu'exacerber l'horreur du nazisme, de son actuelle persistance et, suggère Thomas Bernhard, de sa dissémination domestique. *Avant la retraite* n'est pas une pièce de plus sur la nostalgie du nazisme, mais, par le biais de la cérémonie intime, une pièce qui cerne le nazisme au présent, comme intense reviviscence et projection téléologique. *Avant la retraite* est cependant une pièce assez exceptionnelle dans la trajectoire théâtrale de l'auteur, non seulement parce que la cérémonie intime s'y ancre directement dans l'histoire mais aussi de par sa forme dramatique plus achevée, moins *ouverte* que dans les autres pièces. Le plus souvent, Thomas Bernhard respecte le pacte du soliloque, qui est un acte de parole sans commencement ni fin et ne peut induire qu'une dramaturgie *fragmentaire*. Dans *Minetti*, *Le Réformateur*, *Au but*, *Les apparences sont trompeuses*, *Simplement compliqué*, etc., œuvres où l'écrivain semble toujours hésiter entre la pièce et l'impromptu, la cérémonie intime paraît à la fois plus diffuse et plus étrange – plus étrangement inquiétante...

Face à une pièce comme *Le Réformateur*, le lecteur – ou le spectateur – se trouve déstabilisé : il n'a plus à sa disposition les repères socio-historiques (une famille d'anciens dignitaires nazis dans l'Allemagne d'aujourd'hui) ni le climat dramatique (notamment l'opposition ouverte, la "guerre intime" de Clara avec son frère et sa sœur) que lui offrait *Avant la retraite* ; il se trouve confronté, sans autre médiation, au *theatrum mentis*, à la dramaturgie intrasubjective de ce "réformateur du monde" dont il ne saurait démêler s'il s'agit d'une "figure mondialement historique" ou d'un mythomane. Du même coup, la cérémonie à l'occasion de laquelle les autorités de la ville viennent, à domicile, introniser le Réformateur docteur honoris causa ne prend jamais un caractère véritablement objectif ; et l'on se demande si ce Maire, ce Doyen et ce Vice-Doyen ont une autre existence que fantomatique, s'ils ne sont pas de pures projections de la psyché du Réformateur. En s'intégrant au scénario fantasmatique du protagoniste, la cérémonie intime ne prend que plus de force et de sens. Ainsi "banalisée", elle atteint à une plus grande universalité. Ce vieillard égrotant et irascible qui remâche ses anciennes humiliations et souhaite voir toutes les puissances de la ville se prosterner autour de son trône dérisoire *(Le Réformateur)*, ou cet autre qui ne reçoit la haute société viennoise que pour lui exprimer sa détestation et la précipiter du haut de son balcon dans la mort *(Elisabeth II)*, cet autre encore, occupé à transformer, avec des clous et un marteau, son appartement en piège, dans l'espoir fragile d'y retenir une petite porteuse de lait, qui se prénomme comme son épouse défunte *(Simplement compliqué)*, cette Mère qui, clouée sur une chaise, n'arrête pas de boire du cognac et oblige sa fille à s'agenouiller à ses pieds *(Au but)* et même ce dictateur *(Le Président)* qui se plaint de ce que l'Etat est "trop petit pour (lui)" et que "tout est trop étroit trop petit pour (lui)"... tous ne nous parlent en fait, depuis leur illusoire souveraineté, que de nos pulsions intimes. Et la cérémonie constitue ce détour qui va contraindre le spectateur à se reconnaître comme un héritier du potentat à la fois sublime et ridicule qui dévide son dernier soliloque.

Plutôt que de mettre en scène des rapports dialectiques d'opposition entre le maître et l'esclave, le dominateur et le dominé, Thomas Bernhard instaure entre le protagoniste et le deutéragoniste la relation immuable, anté-dialectique, du créateur à sa créature. "Tu es faite pour moi / Je t'ai mise au monde *pour moi* (...) Tu m'appartiens de la tête aux pieds", dit la Mère de *Au but* à sa fille ; laquelle lui répond : " Je te sers / Je suis là pour toi". Et si la Fille est "servante", c'est au double sens du terme, celui de serviteur – qui fait les bagages, coud, repasse pour sa mère, lui sert à boire, etc. – et d'officiant subalterne d'un culte : *ce culte du moi* dont le protagoniste est le célébrant. Depuis toujours le Servant appartient corps et âme, par la génération, le mariage ou autre relation de servitude, au Souvenant, c'est-à-dire à cet être qui ne se survit que de se souvenir de lui-même. Il est son *acolyte* : la créature qui lui reste indéfectiblement attachée à seule fin de servir la cérémonie intime. Plusieurs pièces de Thomas Bernhard commencent, aux heures matinales, par la toilette du protagoniste, exercice préparatoire – ou propitiatoire – à la cérémonie. Se faire laver ou baigner les pieds qui restent – ceux qui n'ont pas encore été amputés –, couper ou limer les ongles, enduire le visage de quelque crème ou onguent, peigner ou coiffer – la couronne – telle est la première occupation du Célébrant bernhardien : un geste quotidien qui se transforme insensiblement en rituel. Rite de purification que nous voyons se retourner, sur le corps de ce déjà mort qu'est le protagoniste, en rite de *putréfaction* : Karl, dans *Les apparences sont trompeuses* : "On dit / que les ongles / comme les cheveux / continuent de pousser dans la tombe / Un certain temps." Puis vient le moment de la vestition, qui parachève la toilette mortuaire : "Celui que tu as porté à Trèves", tels sont les premiers mots de la Femme, à propos du costume à rayures du Réformateur. Dès que le Célébrant a revêtu son habit sacerdotal, nous entrons dans l'heure cérémonielle. Souvent onze heures du matin : l'heure où est enterré le Colonel dans *Le Président*, l'heure de la visitation au Réformateur ou à Herrenstein *(Elisabeth II)*. Mais l'instant du sacre et de l'apothéose ne fait qu'un avec celui de la chute et de la catastrophe : Minetti ne pose sur son visage le masque de Lear réalisé par Ensor que pour mourir sur un banc et être enseveli par une tempête de neige ; repris par ses pauvres appétits de vieillard, le Réformateur réclame ses nouilles ; Rudolf, qui a enfin revêtu son uniforme d'officier nazi, succombe à une crise cardiaque et, dans son costume de Napoléon, le Faiseur de théâtre assiste à l'orage qui anéantit toute perspective de représentation de sa *Roue de l'histoire*. Intime, la cérémonie meurt étouffée sous ses propres cendres. Elle n'existe qu'à l'état de projet, de velléité, de prémices. Elle épouse la courbe cyclothymique de son Officiant.

"Je suis le vieil acteur / à qui tu apportes le lait / chaque mardi et chaque vendredi / tu apportes le lait au vieil acteur / au vieil acteur / qui ne fréquente plus les hommes" : chaque protagoniste de Thomas Bernhard est un avatar du Lear détrôné, du souverain déchu, piégé dans sa maison-sépulcre de *Simplement compliqué*, et qui tente vainement d'agripper quelque chose dans son agonie toujours recommencée : une petite Catherine porteuse de lait, quelque chose ou quelqu'un qui serait peut-être la vie... Le Souvenant est devenu pour lui-même une existence incertaine, un lieu déserté, improbable, le temple en ruine d'un culte en déshérence. Son implacable soliloque sonne comme une oraison funèbre, non pas seulement de ses proches – le Colonel du Président, le chien de la Présidente, Himmler, le mari de la Mère dans *Au but*, l'épouse de Karl dans *Les apparences sont trompeuses*, etc. –, mais aussi et surtout de lui-même. A travers la cérémonie intime, le Souvenant bernhardien mène le deuil conjoint de sa propre psyché et du monde. Et le Servant soutient son discours quasi religieux d'un silence sacré. Silence entrecoupé de brèves interventions, le plus souvent écholaliques, qui, semblables aux antiennes du Moyen Age, nimbent de choralité la parole du Souvenant. C'est le *répons* – structure musicale profonde du théâtre de Thomas Bernhard –, où des paroles tirées des Ecritures sont exécutées par un soliste et répétées en partie par un chœur. Ainsi se trouve transmué en art de la scène – art pour l'oreille plutôt que pour les yeux – le partage régalien de la parole. Ainsi s'accomplit en un mouvement circulaire, cérémoniel, le travail de la mort en scène.

"Une vie d'homme chère madame, confie l'Ecrivain à la Générale, dans *La Société de chasse*, n'est à la fin rien / qu'une humaine catastrophe." A Thomas Bernhard le privilège d'être le guetteur le plus aigu de la catastrophe intime, de nous la donner à voir et à entendre, au théâtre, du plus près, de l'intérieur de lui-même. Car, dit-il : "Avec le temps, ce qui se passe à l'extérieur a cessé de m'intéresser ; c'est quand même toujours la même chose ; d'autres s'en occuperont. Je me soucie uniquement encore de mes propres processus et je pense être impitoyable[1]."

NOTES

1. Thomas Bernhard, *Ténèbres. Textes, discours, entretiens,* suivis d'un dossier "A la rencontre de Thomas Bernhard" sous la direction de Claude Porcell, Maurice Nadeau, 1986.
2. Edward Gordon Craig, *De l'art du théâtre,* Editions O. Lieuter, 1942.

Je remercie les Editions de l'Arche de m'avoir communiqué les traductions françaises inédites de plusieurs pièces de Thomas Bernhard.

Duras :
THÊÂTRE-TESTAMENT

Que la scène de théâtre découpe un espace transitionnel et transactionnel entre la vie et la mort, aucune dramaturgie mieux que celle de Marguerite Duras n'en apporte la démonstration. A une époque où l'exclusion de la mort n'a jamais été aussi flagrante et les effets en retour de cet ostracisme, sous forme d'angoisse diffuse, aussi pernicieux, le théâtre de Duras nous rappelle qu'il existe un achéron, un lieu de passage et de commerce entre la rive des vivants et celle des morts, entre le monde visible et le monde invisible. Mais, chez Duras, à la différence de chez Beckett, Achternbusch et Bernhard, le contact avec la mort se transmue instantanément en *intimité de l'amour.*

Le dialogue amoureux de *La Musica*, d'*India Song* ou d'*Eden Cinéma* s'engage in extremis, au moment où les antagonistes vont disparaître l'un pour l'autre à jamais ; ou plus tard encore : lorsqu'ils ont déjà pris l'allure des revenants. Ainsi, dans *La Musica deuxième*, réécriture et prolongation de *La Musica*, Anne-Marie Roche et Michel Nollet inventent le scénario de leur propre mort, comme s'ils ne pouvaient plus se parler qu'au-delà de cette limite funeste :

"LUI *(dit au public).* Un soir les voisins ont appelé la police. Ils voulaient nous emmener au commissariat pour vous protéger de moi. *(Ralentissement. Un temps.)*

ELLE *(dit au public).* Après on n'a plus appelé les voisins. On ne les a plus appelés.

LUI. Après on n'a plus appelé personne. *(Un temps.)* Après on est morts. *(Un temps.)* On nous a trouvés morts. *(Un temps.)* Ensemble. *(Un temps.)* Par terre."

Mettant en scène leur mort, les personnages durassiens accèdent à une existence posthume. Au spectateur qui lui demanderait qui elle est, Anne-Marie Roche pourrait faire la même réponse que Claire Lannes à l'Interrogateur de *L'Amante anglaise* : "Celle qui reste après ma mort." Le lieu des pièces de Marguerite Duras est d'ailleurs organisé en fonction de ce va-et-vient incessant des personnages entre la vie et la mort. L'espace circumscénique, qui prend de plus en plus d'importance au fil des œuvres, encadre l'aire de jeu comme le pays des morts celui des vivants. Explicitement nommé "plaine des morts" dans *Abahn Sabana David*, il remplit la même fonction que le pont – *hashigakari* – du théâtre nô : ramener les défunts du royaume des morts jusqu'au lieu d'anciennes rencontres, du temps où ils étaient des êtres terrestres.

La mort debout

Le fait de mourir ne tue pas la vie, dit le *Tchouang-tseu*. Au contraire, la mort nous introduit dans une dimension suprahumaine où la vie prend toute son extension. Et si le théâtre veut appréhender l'existence réelle, intérieure et extérieure, intime et cosmique, visible et invisible, il lui faut viser plus haut et atteindre la mort. A ce prix, le personnage dramatique accède au privilège tragique de l'Antigone de Sophocle pour laquelle, selon Lacan, "la vie n'est abordable, ne peut être vécue et réfléchie, que de cette limite où déjà elle a perdu la vie, où déjà elle est au-delà – mais de là, elle peut la voir, la vivre sous la forme de ce qui est perdu[1]". Suprême effet de distanciation : la vie saisie dans l'éclairage de la mort ; les sentiments des personnages, leurs paroles, les relations qu'ils entretiennent entre eux et avec le monde marqués du sceau d'un "testament de mort". Entre les personnages du théâtre de Marguerite Duras, il ne s'agit jamais que de ceci : essayer de dire le dernier mot, d'exprimer l'ultime pensée, de fixer la relation définitive. "Je l'ai sorti de son cercueil, déclarait Duras à propos du Marcel Lannes de sa première pièce, *Les Viaducs de la Seine-et-Oise*, pour qu'il soit entendu de tous une fois dans sa vie." L'auteur provoque cette épreuve de vérité, cette confession mutuelle à l'article de la mort, de façon à ce que nous, spectateurs, puissions nous sentir les héritiers des personnages durassiens et bénéficier de leur testament. Testament d'amour, dans la plupart des pièces de Duras ; mais aussi bien testament politique, comme dans *Un homme est venu me voir*, à travers la confrontation, dix-huit ans après les procès de Moscou, du "bourreau" et de la "victime" ; le Visiteur à Steiner : "Je suis là pour vous parler du passé, de celui que nous allons léguer à ceux qui viennent, vous et moi."

Mais cette rencontre en forme de dialogue des morts doit être précédée d'une approche silencieuse, d'une danse fantomatique à la faveur de laquelle les personnages investissent leurs rôles de gisants debout. Tel est le protocole des retrouvailles du couple dans *La Musica deuxième*, avant que Lui et Elle ne s'adressent l'un à l'autre : "Elle regarde et découvre sa présence à lui : de dos, un mort debout. Il se retourne. Ils se regardent. Et lentement il va vers le téléphone. Et à son tour elle devient comme une morte debout. C'est ainsi, dans une mort apparente des deux, que le coup de téléphone a lieu." Cette "mort apparente", Duras la décline de pièce en pièce en de subtiles variations : mort littérale d'Anne-Marie Stretter dans *India Song* ("La femme habillée de noir, qui est devant nous, est donc morte", "la femme habillée de noir et l'homme qui est assis près d'elle se mettent à bouger. Sortant ainsi de la mort") ; mort-absence de la Mère dans *Eden Cinéma* ("La mère restera immobile sur sa chaise, sans expression, comme statufiée, lointaine, séparée") ; mort-sommeil, s'il est vrai que le sommeil est la visite amicale de la mort, toujours pour Anne-Marie Stretter, "statufiée dans ses larmes", "dormeuse debout" ; mort-hébétude, qui s'empare du frère et de la sœur d'*Agatha* dès qu'ils sont en présence l'un de l'autre ("Raides, ils sont raides, les yeux fermés, récitants imbéciles de leur passion" ; "Les yeux sont fermés. Ils sont dans une raideur effrayante"). La mort debout trahit la *sidération* que Marguerite Duras exerce sur ses personnages : une sorte d'état d'hypnose, de fascination qui lève les inhibitions de la vie ordinaire et libère la parole testamentaire. La mort passe sur le théâtre de Duras et, la recouvrant de son ombre, elle fait que quelque chose s'y passe. En elle les personnages puisent leur mémoire commune, c'est-à-dire l'énergie et le sens de l'ultime rencontre : "Ce mouvement infini de mourir qui, écrit

Blanchot, est en eux comme le seul souvenir d'eux-mêmes[2]."

Le travail de la mort, attesté par l'état somnambulique des personnages aussi bien que par l'épaississement de l'ombre sur le plateau ("le reste de la scène devrait être gagné par l'ombre à mesure que progressent les propos", recommande l'indication liminaire de *La Musica*), crée un théâtre des ombres qui rappellera le rêve d'un Maeterlinck : "Il faudrait peut-être écarter définitivement l'être vivant de la scène. Il n'est pas dit que l'on ne retournerait pas ainsi à un art des siècles très anciens, dont les masques des tragiques grecs portent peut-être les dernières traces (...). L'être humain sera-t-il remplacé par une ombre, un reflet, une projection de formes symboliques, par un être qui aurait les allures de la vie sans avoir la vie ? Je ne sais, mais l'absence de l'homme me paraît indispensable[3]." Sculptant Michel Nollet et Anne-Marie Roche ou le frère et la sœur d'*Agatha*, la mort les épure et les hisse à une hauteur allégorique où on ne peut plus les appeler que "Elle" et "Lui", où ils forment la figure emblématique du couple. Présence en gloire qui correspond au déclin de leurs individualités. D'où, au cœur de la relation la plus intime, ce voussoiement entre anciens époux, entre amants, entre frère et sœur qu'on aurait tort de prendre pour un usage mondain. C'est que la proximité des morts debout se double d'une distance cérémonielle. L'intime de la rencontre testamentaire s'accomplit dans la *séparation* : rapprochement qu'annule aussitôt un éloignement. Mouvement contradictoire, aporétique, qui, dans *Détruire dit-elle*, marque la relation d'Alissa avec Max Thor : "Alissa regarde fixement la partie sombre de la salle à manger, la montre du doigt. – Là, dit-elle, tu serais là. Toi, là. Moi, ici. On serait séparés. Séparés par les tables, les murs des chambres. – Elle écarte ses poings fermés et elle crie doucement : – Séparés encore. – Elle est dans ses bras. Et elle le repousse."

Les scènes au téléphone, fréquentes chez Duras, soulignent ce phénomène de la séparation. Dans *La Musica*, entre Michel Nollet et sa nouvelle amie, Anne-Marie Roche et son futur second époux ; dans *Suzanna Andler*, entre Suzanna et Jean, son mari ; dans *Le Navire night* surtout, texte construit sur la pratique actuelle des "réseaux" où deux voix anonymes relayées par un narrateur, celle d'un jeune homme de vingt-cinq ans "de permanence dans un service de télécommunications" et celle d'une jeune femme peut-être promise à une mort prochaine, établissent une relation amoureuse à distance : "Il a certains numéros de connexion du gouffre téléphonique. Il les fait. Deux numéros. Trois numéros / – Et puis, voici : / La voici." Il ne s'agit évidemment pas ici des "téléphones blancs" du théâtre de boulevard mais d'un univers noir ("Histoire sans images / Histoire d'images noires"), d'un univers d'ombres au sein duquel chaque entreparleur (comme on appelait autrefois le personnage de théâtre) devient en quelque sorte invisible et absent à lui-même, n'existe plus que par la relation qu'il entretient avec l'autre. La rencontre amoureuse testamentaire achève ainsi de se dépouiller de tout aspect contingent.

Oreille captive d'une voix, voix enchaînée à une oreille, le jeu érotique se déroule selon un cérémonial – de proximité dans la distance, de distance dans la proximité – qui l'apparente à la relation amoureuse télépathique strindbergienne. Dans cet espace imaginaire, le couple se trouve *hors d'atteinte*, quasiment en apesanteur, protégé de toute immixtion de la réalité ordinaire. "La cérémonie, écrit Baudrillard, est un univers tactile (McLuhan) fait pour maintenir les corps à la bonne distance, et pour rendre sensible cette distance, qui est celle du gestuel réglé et de l'apparence. Deux corps qui se heurtent, qui se choquent sont obscènes, impurs[4]." Séparés, les corps durassiens sont du même coup purifiés, c'est-à-dire livrés à un désir exempt de toute jouissance comme de toute culpabilité. Et la puissance séparatrice n'est pas autre, bien sûr, que cette mort intermittente à laquelle ils sont soumis dès leur entrée en scène.

Remonter le temps de l'amour

La nuit où se reforme le couple de *La Musica,* dans le hall de *l'Hôtel de France* à Evreux, se situe aux antipodes des jours d'Anne-Marie Roche et de Michel Nollet. Elle ouvre une parenthèse dans le temps de leur existence réelle – ils vivent séparés depuis trois ans et la journée qui vient de s'écouler marque la conclusion de leur divorce. La nuit de *La Musica* institue un temps utopique, celui d'un intense revivre de l'amour perdu :

"LUI. Que se passe-t-il ?

ELLE. Quand ?

LUI. Maintenant. Le commencement ou la fin ?

ELLE. Qui sait ?"

Un homme et une femme d'une quarantaine d'années viennent de divorcer. Ils ont même, comme on dit, "refait leur vie", mais sans parvenir à défaire le "lien" qui les réunit. Un mutuel et obscur désir de se revoir les a fait descendre pour une nuit dans cet hôtel où ils vécurent les débuts de leur vie conjugale. Ils se retrouvent donc, familiers et étrangers, connus et inconnus l'un à l'autre. Par bribes, au fil de ces instants volés, ils reconstituent leur passé commun et gravitent ensemble autour du noyau ténu d'un amour sans doute définitif :

"LUI. Dans l'ombre, en secret, laisser l'amour grandir.

ELLE. Oui.

LUI. Comme des gens privés par la force des choses de se rejoindre ?"

En guise de testament d'amour, Elle et Lui vont se faire une scène. A rebours de la scène de ménage sans fin des couples strindbergiens :

"ELLE. On ne reculait devant rien... rien, pour un oui, pour un non, on se payait des nuits d'insomnie, des scènes... des scènes... du drame."

Dans *La Musica deuxième*, ils vont même surenchérir sur leurs anciens combats et, en ponctuant leurs paroles de rires, imaginer qu'ils se sont tués. Dès lors, la scène de ménage change de signe : d'empêchement de vivre, de machination visant à l'écrasement des deux partenaires, elle se transforme en une machine à remonter et à réinventer le temps de l'amour. Ressortissant à l'utopie, la scène à rebours ignore les interdits et les tabous, y compris ceux qui frappent l'inceste. Si la "scène" de *La Musica* est un long stationnement dans le hall désert d'un hôtel, celle d'*Agatha*, sans doute du fait de son caractère "illégitime", ouvre dans la "maison inhabitée" l'espace d'une fuite sans fin qui est aussi une permanente rencontre :

"LUI. Tu pars pour aimer toujours ?

ELLE *(lent)*. Je pars pour aimer toujours dans cette douleur adorable de ne jamais te tenir, de ne jamais pouvoir faire que cet amour nous laisse pour morts.

ELLE. Oui, je pars pour vous suivre et afin que vous veniez me rejoindre là-même, dans la fuite de vous, alors je partirai toujours de là où vous serez. *(Temps.)* Nous n'avons pas d'autre choix que celui-là."

La scène strindbergienne – que l'auteur de *La Musica* connaît parfaitement pour avoir adapté *La Danse de mort* – était toujours orientée vers une issue fatale ; la scène durassienne, parce qu'elle intervient au-delà de toute catastrophe, depuis le seuil de la mort, paraît ouverte au bonheur. A chaque fois qu'elle se retrouvait sur son banc du jardin, la vieille Claire Lannes de *L'Amante anglaise* s'évadait d'une existence quotidienne qu'elle récusait et revivait son amour de jeunesse avec l'"agent" de Cahors : "Je n'ai jamais été séparée du bonheur de Cahors, il a débordé sur toute ma vie. Ce n'était pas un bonheur de quelques années, ne le croyez pas, c'était un bonheur fait pour durer toujours." Telle est la charge d'utopie du théâtre de Marguerite Duras : reprendre le temps de l'existence réelle et le dilater, et y insuffler une liberté nouvelle ; égrener les instants d'une vie, les suspendre (*Agatha : "Elle l'arrête tout à coup comme elle arrêterait un geste.* ELLE. Arrêtez-vous. LUI. Oui. *Silence. Ils attendent que passe l'instant."*), les dichotomiser, les accoucher d'un fragment d'éternité.

"Vivre un sentiment d'amour sans en vivre l'histoire", ces mots de *Savannah Bay*, adressés par la vieille actrice Madeleine à la "jeune femme" qui lui rend visite, constituent la formule clé de la rencontre utopique testamentaire. La fable des pièces de Duras compte infiniment moins que l'exploration des virtualités, de l'*alternative* que contient chacun de ses instants. Peu importe que l'histoire soit banale ou même – comme dans *Suzanna Andler*, dont la protagoniste se trouve apparemment écartelée entre son amant et son mari infidèle – qu'elle paraisse calquée sur le pire vaudeville. Le spectateur n'est pas convié à assister en voyeur aux progrès d'une situation scabreuse, mais à entendre, de la bouche de Suzanna et de ses deux partenaires, tout le possible de ces amours croisées. L'insupportable, ce serait que l'histoire se déroulât au présent. Mais, dans ce théâtre justement, le présent dramatique se trouve métamorphosé en un *plus-que-présent*, en une temporalité utopique qui n'appartient qu'à Duras.

Pris dans son sens littéral de "non lieu", de "lieu de nulle part", le vocable *utopie*, forgé au XVIe siècle par Thomas Moore, s'applique parfaitement aux pièces de Marguerite Duras. Lieu déterritorialisé qui se présente soit comme indéfinissable, innommable (celui, par exemple, du *Navire night*), soit comme vacant, inhabitable (hall de *La Musica,* fastueuse villa à louer de *Suzanna Andler*, "maison inhabitée" d'*Agatha*...), mais qui, en dernière instance, avoue toujours qu'il est une scène, un théâtre. Lieu ambivalent de mort et de vie, de présence et d'absence, de réalité et d'irréalité... Dans un tel espace, les personnages sont forcément "ailleurs" – "ailleurs, déjà dans un bilan du passé", selon une indication de *Suzanna Andler* –, entendons dans le *temps captif* du lieu : cet "éphémère" que le théâtre seul a le pouvoir de fixer. Le "bilan du passé" n'aura rien d'une sèche récapitulation ou d'une simple remémoration de la vie réelle, il embrassera les rêves, les désirs, les aspirations, bref la vie imaginaire des personnages. L'actrice Madeleine, exposée sur le théâtre dans "la splendeur de l'âge" tout au long de cette allègre "fin de partie" que constitue *Savannah Bay*, le dit à la place de l'auteur : "Presque jamais rien n'est joué au théâtre... tout est toujours comme si... comme si c'était possible." Il faut donc se rendre à l'évidence que ni le vécu ni sa mémoire ne sont la véritable affaire du théâtre de Marguerite Duras. Bien plutôt *l'oubli,* porte ouverte sur la réinvention du passé et la paradoxale *reviviscence* de ce que l'existence réelle avait refoulé ou interdit. "Le fait, écrit l'auteur, qu'*India Song* pénètre et dévoile une région non explorée du *Vice-consul* n'aurait pas été une raison suffisante de l'écrire. Ce qui l'a été c'est la découverte du moyen de dévoilement, d'exploration, faite dans *La Femme du Gange* : les voix extérieures au récit. Cette découverte a permis de faire basculer le récit dans l'oubli pour le laisser à la disposition d'autres mémoires que celle de l'auteur : mémoires qui se souviendraient pareillement de n'importe quelle histoire d'amour. Mémoires déformantes, créatives[5]."

Sur ce théâtre des possibles le dialogue dramatique ne saurait s'instaurer ni au présent ni au passé de l'indicatif. Inventorier des hypothèses de vie, greffer sur le tronc mort de l'existence réelle une arborescence de bifurcations, c'est se vouer à tous les temps du conditionnel. Sur le mode *conditionnel*, Madeleine et la jeune femme de *Savannah Bay* ne cessent de jour en jour de se raconter – et de s'inventer – l'histoire d'amour d'une femme qui, peut-être, aurait été la fille de l'une et la mère de l'autre ; "La jeune femme : Il lui a souri en retour et ce sourire qu'ils ont eu l'un pour l'autre aurait pu faire croire qu'ils pouvaient, eux, ces deux-là, même pendant un moment aussi court que celui-là, vous voyez, que ces deux-là auraient pu, oui, comme si c'était possible, qu'ils auraient pu mourir d'aimer." Et à ce mode conditionnel sont indéfectiblement attachées, comme à une chaîne libératrice, les figures qui hantent le texte le plus radicalement utopique de Marguerite Duras, *Détruire dit-elle* : "Je ne te connaîtrais pas encore, dit Alissa (à Max Thor). On ne se serait pas dit un mot. Je serais à cette table. Toi, à une autre table, seul, comme moi – *elle s'arrête* –, il n'y aurait pas Stein, n'est-ce pas ? pas encore ? – Pas encore. Stein vient plus tard" ; "Vous savez, dit Alissa (à Bernard Alione, mari d'Elisabeth) avec une incomparable douceur, vous savez, nous pourrions, vous aussi, vous aimer. / – D'amour, dit Stein. / Oui, dit Max Thor. Nous le pourrions."

Le conditionnel fixe le protocole de la rencontre testamentaire. Un protocole que Marguerite Duras se plaît à parodier, à affoler, à pousser jusqu'à l'absurde dans ses comédies, *Les Eaux et forêts* et, surtout, *Le Square*. Il et Elle du *Square*, l'homme de quarante ans et la jeune fille de vingt ans, se rencontrent dans un square où cette dernière a amené une après-midi l'enfant qu'elle garde. Cette longue pièce pourrait s'intituler, comme la chanson de Brassens, *La Non-Demande en mariage*. Elle, la bonne à tout faire, prototype de l'individu sédentaire, ne rêve que de confort matériel et d'installation bourgeoise, tandis que lui, représentant de commerce des plus étranges, incarne l'esprit nomade. En chacun d'eux, Duras exalte la tendance schizophrénique qui est à la base de toute utopie : Il et Elle ne cessent d'étouffer le désir qu'ils éprouvent l'un pour l'autre sous les systèmes opposés dans lesquels, respectivement, ils s'enferment. Et la rencontre s'épuise dans la répétition *ad libitum* de ses propres prémices. L'*alternative*, qui constituait la figure majeure de l'utopie amoureuse durassienne, est ici l'objet d'un ressassement et d'un dérèglement aux effets comiques avérés : l'attirance mutuelle de la jeune fille et de l'homme se trouve ainsi annihilée par la confrontation de leurs convictions contradictoires. L'aporie écrase les deux candidats au bonheur conjugal ; le tragique de la solitude moderne trame le brillant duo de comédie :

"LA JEUNE FILLE. Vous comprenez, monsieur, vous comprenez, je n'ai jamais été choisie par personne, sauf en raison de mes capacités les plus impersonnelles, et afin d'être aussi inexistante que possible, alors il faut que je sois choisie par quelqu'un, une fois, même une seule. Sans cela j'existerai si peu, même à mes propres yeux, que je ne saurai même pas vouloir choisir à mon tour... C'est pourquoi je m'acharne tant sur le mariage, vous comprenez.

HOMME. Oui, mademoiselle, sans doute, mais j'ai beau faire, je ne vois pas très bien comment vous espérez être choisie si vous ne pouvez pas choisir vous-même."

Dans *Le Square*, Marguerite Duras joue en virtuose de cette mécanisation du vivant qui fonde la comédie ; ce faisant, elle retourne comme un gant sa propre dramaturgie et crée sa *contre-utopie*. A la différence de *La Musica*, d'*Agatha* et des autres pièces du couple exhaussé, *Le Square* et *Les Eaux et forêts* sont des œuvres chorales dont les personnages, profondément immergés dans la parole ambiante des discours socialisés, sont dépossédés d'eux-mêmes par une société massifiée. Ainsi de l'Homme des *Eaux et forêts* :

"HOMME. Ah, mesdames Johnson, il y a des jours où je désirerais fort disparaître à mes yeux sans la solennité de l'accident secondaire qui est moi-même. Comprenez, non ? Glisser sur moi, moi-même être pour moi, verglas, peau de banane.

FEMME I. Ce genre de truc, ça m'arrive le soir.

HOMME. Zéro ! Pas de cynisme, Missis Thompson, ni de vulgarité ! On vous dit : «La vie est triste ? Hélas !

il faut vivre quand même.» On vous dit : «Toujours-prête-à-servir-la-France ?» Pouah ! Vulgarité et imbécillité ! *(Doux.)* Non, non, non... faut pas écouter, Missis Thompson ; rien, écouter rien du tout... il faut être comme moi, des Eaux et forêts, sans arrière-pensée aucune, pas la moindre trace d'une arrière-pensée, être à la fois des eaux, des forêts... de tout... de rien... de rien du tout..."

Les deux abords de l'intime, celui du drame – qui prend pour cadre un lieu retiré – et celui de la comédie – qui s'accommode du premier espace public venu (square ou, dans *Les Eaux et forêts*, simple "bout de trottoir") –, indiquent une étroite complémentarité entre théâtre de la relation amoureuse et théâtre de l'homme socialisé. A l'évidence, l'intime durassien n'a rien à voir avec un quelconque intimisme. Pas plus que celle du *Square*, la scène de *La Musica* ne renferme le couple et ne constitue un huis clos. Au contraire, elle s'élargit à l'extrême dans *La Musica deuxième* et prend la forme éminemment publique de l'*orchestra* grecque : "C'est un hôtel de province, un palace. La scène, dans toute sa largeur, est une partie du hall de cet hôtel. Pour le dire autrement, ce hall est le secteur d'un cercle qui, sur le dessin achevé, coïnciderait avec la surface entière de la salle. Les spectateurs sont donc à l'intérieur de l'hôtel, dans le hall." De façon plus nette encore, Duras fait se dérouler *L'Amante anglaise* non plus dans le petit pavillon de banlieue des *Viaducs de la Seine-et-Oise*, pièce dont *L'Amante...* est la réécriture, mais sur une "scène-podium" – dans la tradition d'un Piscator ou d'un Brecht – où les personnages resteront adossés, tout au long de la représentation, au rideau de fer baissé. Quant à l'Interrogateur devant lequel comparaissent successivement Pierre et Claire Lannes, afin de répondre du crime qu'a commis cette dernière, il intervient à partir de la salle. Mêlé au public de *L'Amante anglaise*, l'Interrogateur ne se comporte ni en juge d'instruction ni en psychiatre ; il ne pratique pas sur les époux Lannes la moindre inquisition, mais une écoute profonde, scrupuleuse. Ce n'est pas le fait divers que vise son questionnement mais la figure même de Claire Lannes :

"PIERRE. C'est à elle seulement que vous vous intéressez à travers tout ce que je peux vous dire, n'est-ce pas ?

L'INTERROGATEUR. Oui.

PIERRE. A cause de son crime ?

L'INTERROGATEUR. C'est-à-dire que ce crime a fait que je m'intéresse à elle.

PIERRE. Parce qu'elle est folle ?

L'INTERROGATEUR. Plutôt parce que c'est quelqu'un qui ne s'est jamais accommodé de la vie."

Dans le roman *L'Amante anglaise*, la narratrice s'interrogeait sur la possibilité d'écrire sur le crime de Claire Lannes. Dans la pièce, l'Interrogateur se substitue à la narratrice du roman, mais sa fonction est plus large : il devient également le délégué du public, chargé de répercuter sur Pierre et Claire Lannes, personnages de bout en bout *interviewés*, les questions que nous voudrions leur poser. L'Interrogateur, c'est le *spectateur intime*, la voix indivise de l'auteur et du public. Ses interventions transforment certes la représentation en procès, un peu à la manière de Peter Weiss, mais, du procès, Duras ne retient que ce qui permet à Claire Lannes de faire entendre librement sa parole testamentaire, de remonter le cours de sa vie et de revivre son "amour de Cahors". Le public de *L'Amante anglaise* n'est pas convoqué pour juger une affaire criminelle instruite par l'Interrogateur, mais invité à être le spectateur attentif de l'intimité de Claire Lannes, la ci-devant criminelle, intimité dont l'Interrogateur serait l'accoucheur.

Plus il s'affranchit de l'anecdote, voire du fait divers, et du romanesque de ses débuts, plus le théâtre de Marguerite Duras s'éloigne de tout intimisme et élargit cette sphère de l'intime dans laquelle les spectateurs sont pris en même temps que les personnages. Dans *L'Amante anglaise*, la médiation entre le public et les personnages, confiée à la figure de l'Interrogateur – personnage *du* théâtre plutôt que personnage *de* théâtre –, peut encore paraître forcée, appuyée. Mais le théâtre intime de Duras s'affirme avec plus de subtilité dans *India Song* et *Eden Cinéma*. A partir de ces pièces, la coupure scène-salle est définitivement révolue et l'espace théâtral entier se transforme en une "chambre d'écho" où résonne autour des personnages, autour de ces "mortes debout" que sont Anne-Marie Stretter et la Mère, une polyphonie de voix questionneuses ou souvenantes. Car la recherche du temps perdu s'effectue chez Duras d'une tout autre manière que chez Proust. Le temps retrouvé durassien n'est pas l'aboutissement d'une longue réminiscence solitaire mais l'enjeu théâtral, y compris dans les romans et les récits, d'un dialogue polyphonique auquel sont conviées toutes les voix, jusqu'à celle du lecteur ou du spectateur. La communauté des vivants dépêche vers l'autre rive, celle de la mort, quelques-uns de ses éléments afin que puisse avoir lieu, de part et d'autre de cet achéron, la *cérémonie testamentaire*.

Codicille

Après *L'Amante anglaise* (1968), la production théâtrale de Marguerite Duras subit une profonde modification. L'auteur continue certes d'écrire du théâtre, mais plus de *pièces* à proprement parler. Des œuvres comme *Détruire dit-elle*, *India Song*, *Agatha*, *La Maladie de la mort*, qui ont déjà connu nombre de mises en scène, ne sont plus a priori destinées à la scène. Parallèlement, des textes ressortissant plutôt au genre du récit, mais dialogués et entrecoupés de brèves parties narratives assimilables à des indications scéniques, tel *Abahn Sabana David*, attirent invinciblement les metteurs en scène. Assiste-t-on à ce même phénomène de confluence du théâtre et du récit qui s'est manifesté chez Beckett à partir de *La Dernière Bande* ? Ou bien l'activité théâtrale de Duras est-elle contaminée par la vogue du "théâtre-récit" qui marque le théâtre français et européen dès le début des années soixante-dix ?

Je lis les cinquante-sept pages de *La Maladie de la mort* sans que ce texte me fasse particulièrement penser au théâtre puis, après une page blanche, je découvre dans une note terminale en petits caractères que "*La Maladie de la mort* pourrait être représentée au théâtre. La jeune femme des nuits payées devrait être couchée sur des draps blancs au milieu de la scène. Elle pourrait être nue. Autour d'elle un homme marcherait", etc. C'est ici l'usage théâtral de ce texte et le théâtre même qui sont mis au *conditionnel*. Le texte *La Maladie de la mort* tient la place du testament, et le théâtre celle du codicille. Dans ces notes qui indiquent un possible devenir-théâtre du texte, l'auteur ne fait d'ailleurs pas l'économie du style notarial caractéristique de la prescription post-testamentaire : "Au théâtre, lit-on à la fin de *Détruire dit-elle*, il n'y aurait qu'un seul décor (...). La pièce devrait être représentée dans un théâtre de dimensions moyennes, de préférence moderne. Il n'y aurait pas de répétition générale" ; "Si, d'aventure, *India Song* était représenté en France il sera interdit de faire une répétition générale. Cette interdiction est levée pour les pays étrangers."

D'*India Song*, précisément, la page titre m'avertit que j'entre dans un "texte théâtre film". Le volume d'écriture dans lequel je vais pénétrer est donc à plusieurs entrées ; il rassemble en un seul texte – texte-puissance : "Livre" ou "Poème" dans l'acception mallarméenne – les différentes voies ou virtualités artistiques de la création durassienne. L'écrivain nous livre son Texte-Testament exempt de toute attache particulière à un genre ou à un mode artistique puis, à travers le codicille, nous invite à jouer de ce Texte comme d'un kaléidoscope réglant l'infinie métamorphose du récit en cinématographe, du cinématographe en théâtre et du théâtre en récit... A la différence de Beckett, dont les textes conservent des destinations ou des affectations distinctes en dépit de l'intérêt croissant des hommes de théâtre pour les textes non théâtraux, Marguerite Duras pratique, depuis *Détruire dit-elle*, sinon la confusion du moins l'hybridation des grands modes originels de l'expression poétique – le "dramatique", l'"épique" et le "lyrique" – au sein d'un même texte *rhapsodique*[6]. Considérée à partir du codicille, toute l'écriture de Duras ne forme plus qu'un seul texte sans fin, qu'un seul Poème testamentaire, englobant roman, récit, théâtre et cinéma. Et chaque œuvre ne représente plus que l'assemblage aléatoire (*rhaptein*, en grec ancien, signifie "coudre ensemble") d'un certain nombre de chants – ou de "lais". "Tout communique au théâtre, toutes les pièces entre elles" : cette remarque de Madeleine dans *Savannah Bay* pourrait être étendue à l'ensemble de l'activité artistique de Duras et le mot de "pièce" retrouver ici le sens ordinaire de *fragment*. Chaque nouvelle production de Duras apparaît alors comme un fragment de la même rhapsodie ; les personnages d'*India Song*,

Duras le précise elle-même, sont "délogés du livre intitulé *Le Vice-Consul* et projetés dans de nouvelles régions narratives". A maintes reprises, l'écrivain évoque ce qu'elle appelle "le modèle, la légende" ; on pourrait aussi bien dire le "mythe" : le permanent travail de réécriture de ses propres textes que mène Duras, en changeant constamment de point de vue et de média, crée en effet une sorte de légende ou de mythe (comme l'épopée antique, en bascule entre deux continents : l'Asie et l'Europe) que réactualise chaque nouveau livre. A priori, ce mythe est purement personnel et son ancrage autobiographique ; mais le principe de l'art rhapsodique auquel ressortit la production la plus récente de Marguerite Duras est justement d'allier l'objectif au subjectif et de rendre impersonnelle ou suprapersonnelle une histoire originellement personnelle. Dans les "Remarques générales" à la fin d'*Eden Cinéma*, Duras s'exprime sur le ton du journal intime : "J'ai hésité à garder – en 1977 – les incitations au meurtre que contient la dernière lettre de la mère aux agents du cadastre (...). Puis j'ai décidé de les laisser. Si inadmissible que soit cette violence, il m'est apparu plus grave de la passer sous silence que d'en mutiler la figure de la mère. Cette violence a existé pour nous, elle a bercé notre enfance. Ma mère nous a raconté comment il aurait fallu massacrer, supprimer les Blancs qui avaient volé l'espoir de sa vie ainsi que l'espoir des paysans de la plaine de Prey-Nop. Veuve très jeune, seule avec nous dans la brousse pendant des mois, des années, donc seule avec des enfants, elle se faisait son cinéma de cette façon, et le nôtre, de surcroît." Et pourtant, dans le texte lui-même, Suzanne, le personnage, ne se confond jamais avec cette intimité de l'enfant ou de l'adulte Marguerite. Pour mieux dire, Suzanne, plus que l'incarnation dramatique de Marguerite, est la *récitante* de son enfance.

Eden Cinéma, comme la plupart des textes d'après 1968, alterne de façon toute rhapsodique le récit et la représentation : l'épisode, qui sera repris dans *L'Amant* mais qui s'inscrivait déjà dans *Un barrage contre le Pacifique*, de la "vente" par sa mère de sa fille adolescente au riche M. Jo afin de trouver les moyens d'ériger un barrage contre le Pacifique, enchevêtre le temps de la mémoire de Suzanne-Marguerite (mémoire de ses morts : sa mère, son frère Joseph ; cérémonie des adieux) et le temps de l'action dramatique au présent :

"SUZANNE. Je suis allée à l'Eden Cinéma. *(Temps.)* Le piano, il est là encore. *(Temps.)* Il sert à rien. *(La mère s'en va dans les souvenirs de l'Eden. Toujours prête à «partir» ailleurs.)*

LA MÈRE *(temps).* J'avais pensé à le racheter à un moment donné. *(Temps.)* Je ne vous l'avais pas dit. *(Temps.)* Pour que tu continues, toi... *(Temps.)* Tu avais des dispositions. *(Temps.)* Et puis, tu vois... (la vie...). *(Silence. La mère, fixe, droite. La lumière baisse. Suzanne enlace le corps de la mère. La mère reste fixe, droite. Noir.)*

VOIX DE SUZANNE. Elle s'est endormie. J'ai dormi agrippée à son corps. Au corps de la mère. On aurait dit qu'elle ne me connaissait déjà plus. Mais son odeur était là, celle de la plaine. *(Sanglots d'enfant sur le noir.)*"

A l'instar du texte lui-même, Suzanne-rhapsode est divisée : Suzanne-souvenante et Suzanne-personnage, le corps adolescent, objet du troc amoureux, et la voix de l'adulte en proie au souvenir...

Du fait de cette oscillation entre incarnation et célébration, la mimésis ne saurait être qu'incomplète, explosée, lacunaire. Le théâtre, dont le codicille fixe le nouvel usage, n'intervient pas en plus du texte testamentaire, mais *en moins.* Il insiste sur le "manque à voir", sur le défaut de représentation. La pratique rhapsodique développe la part d'invisible du théâtre : près de "la jeune femme des nuits payées, prescrit le codicille de *La Maladie de la mort,* un homme marcherait en racontant l'histoire. Seule la femme dirait son rôle de mémoire. L'homme, jamais. L'homme lirait le texte, soit arrêté, soit en marchant autour de la jeune femme. Celui dont il est question dans l'histoire ne serait jamais représenté. Même lorsqu'il s'adresserait à la jeune femme, ce serait par l'intercession de l'homme qui lit son histoire (...). L'homme qui lit l'histoire serait atteint d'une faiblesse essentielle et mortelle qui devrait être celle de l'autre homme – celui-ci non représenté".

Noyer la mémoire dans l'oubli, le souvenir personnel dans la polyphonie des voix anonymes et renoncer au présent et à la présence illusoires du drame, tel est le prix qu'a dû payer le théâtre intime de Marguerite Duras pour s'évader de l'étroitesse égotiste et accéder à la dimension d'un mythe... Il n'est d'ailleurs pas certain que ce théâtre en moins corresponde à moins de théâtre. Le codicille émancipe, au contraire, le texte à jouer de sa condition (celle des premières pièces de Duras – et qui est peut-être celle de toute dramaturgie depuis qu'au XIXe siècle le roman est devenu le genre dominant) d'adaptation, d'appendice d'un roman, récit ou nouvelle, bref d'œuvre de seconde main. Pour atteindre enfin ce point intime où le théâtre n'est plus rien d'autre que lui-même, sans doute fallait-il, dans un premier mouvement, exiler le théâtre.

NOTES

1. Jacques Lacan, *Le Séminaire. Livre VII* : *L'Ethique de la psychanalyse*, Editions du Seuil, coll. "Le Champ freudien", 1986.
2. Maurice Blanchot in "M.D. par M.D.", *Ça,* Editions L'Albatros, coll. "Ça/Cinéma", 1979.
3. Maurice Maeterlinck, cité par : Roger Bodart, *Maurice Maeterlinck,* Editions Seghers, coll. "Poètes d'aujourd'hui", 1962.
4. Jean Baudrillard, "La cérémonie du monde" in "La cérémonie", *Traverses 21-22,* revue du Centre de Création Industrielle, Centre Georges-Pompidou, 1981.
5. Marguerite Duras, "Remarques générales" in *India Song,* Gallimard, 1973.
6. Sur ce concept d'*écriture rhapsodique,* je renvoie à mon livre *L'Avenir du drame, op. cit.*

POST-SCRIPTUM

(sur une représentation de Mademoiselle Julie*)*

Dans sa mise en scène de Mademoiselle Julie[1], *Matthias Langhoff remplace le fameux ballet paysan de la nuit de la mi-été par ceci : l'action s'interrompt ; un rideau tombe des cintres sur lequel est reproduite la page du manuscrit comportant l'indication du ballet ; un acteur (à moins qu'il ne s'agisse d'une actrice costumée en homme) en chapeau, canne et manteau fin* XIXe *descend à l'avant-scène ; d'une voix fluette qui atteint difficilement les derniers rangs de la salle (celle de Strindberg, dit-on, ne dépassait pas les tout premiers), ce personnage inattendu nous avertit : explicitement, dans les termes de la préface de* Mademoiselle Julie, *qu'il ne veut pas d'un intermède bouffon et qu'il a recueilli lui-même les paroles de la ronde populaire dont, précisément, nous entendrons quelques mesures par lui chantées avec autant de maladresse que de gravité ; implicitement, qu'il est ou représente devant nous – différence ici abolie – l'écrivain lui-même. Pour clore l'épisode, Strindberg se retire vivement après avoir semé dans le décor le désordre qu'aurait dû y causer le passage du groupe de paysans.*

Cette substitution n'est pas un simple assaisonnement du spectacle. Elle ancre dans la représentation le mythe strindbergien du théâtre intime. *Intime au point que soixante-dix-sept ans après sa mort et un siècle exactement après avoir donné naissance à* Mademoiselle Julie, *l'auteur rôde toujours dans les coulisses, prêt à se précipiter sur le plateau lorsque son personnage s'y produit. Intime à ce point que le cordon ombilical n'est pas encore rompu entre le créateur et sa créature. Intime dans l'interruption,* l'incident, l'effraction...

Mettant en scène la "tragédie naturaliste", Matthias Langhoff nous donne ainsi la mesure de l'omniprésence de Strindberg en son théâtre. Et nous rappelle du même coup qu'il s'agit là d'un theatrum mentis : théâtre, comme eût dit Strindberg lui-même, d'une solitude hantée par une multitude de fantômes. Afin qu'opère mieux la magie qui, à travers les trois acteurs – Laurence Calame, François Chattot et Martine Schambacher –, prête corps à ces invisibles figures, le metteur en scène a orchestré ce rappel de l'auteur.

L'entrée du pseudo-Strindberg sur le plateau du Théâtre de l'Athénée fait à peine effet de théâtre, n'étant pas moins justifiée que celle du sujet en son antre. Sans doute Matthias Langhoff a-t-il usé, pour capter cette présence spirituelle et symbolique du sujet du théâtre intime – présence qui s'étend sur tout le spectacle –, d'une "diplomatie" toute particulière faite, là encore, d'interruption, d'effraction, de montage.

Le metteur en scène qui monte Mademoiselle Julie ou, à des degrés divers, la plupart des pièces dont je parle dans cet essai se trouve devant une alternative. Soit il laisse les personnages entre eux – Christine, Jean, Julie et tous les autres –, selon la stricte convention naturaliste ; mais ce que la représentation gagne en "intimité" – c'est-à-dire en clôture – elle le perd en expression de l'intime, du théâtre intime de l'auteur. Soit, comme je l'ai écrit dans le chapitre consacré à Strindberg, il invite l'auteur à venir faire la scène – ou la fête, serait-elle tragique – en compagnie de ses personnages.

Matthias Langhoff a appris de Brecht cet "art de l'indiscrétion" – entendons : de l'auteur, du narrateur présent dans son drame – qui ne convient pas qu'au théâtre épique. De même que le jeu des acteurs, l'espace qu'il a conçu pour jouer Julie s'avère rebelle à tout intimisme ou confinement : fendu, fissuré, ouvert, perméable à l'extérieur.

Mais quel extérieur ?... Un dehors qui pourrait être un dedans ; un dedans dont la vocation serait de se retourner vers le dehors. L'intime de Strindberg : son lien au monde, via ses personnages. Via Julie, à la femme. Car que représente le décor de Matthias Langhoff, sinon ceci : la cuisine de Mademoiselle Julie *avec ses occupants d'une nuit, la nuit elle-même, sons et odeurs, la nature environnante et, de proche en proche, l'univers entier ; tout cela implanté dans la boîte crânienne de Strindberg, elle-même tapissée de ce sang lumineux et aveuglant (au théâtre, couleur framboise), ce sang de la femme qui obnubile jusque dans sa préface l'auteur de* Mademoiselle Julie.

Lorsqu'au dernier instant du spectacle de Langhoff, celui du sacrifice de l'héroïne, pénètre sur le plateau, aussi insouciante qu'au début et rajeunie, une nouvelle Julie, Jean (ressemblant à s'y méprendre au Strindberg des années 1880) paraît stupéfait et marque un temps d'arrêt. Et le spectateur avec lui : tout n'était-il donc que fantasme et n'avait-il d'existence que dans la tête de ce personnage, lui-même projection de l'auteur ?... Ce temps d'arrêt, ce temps suspendu est la parfaite métaphore du défi, de la gageure, de l'utopie nécessaires qui président au théâtre intime.

NOTE

1. *Mademoiselle Julie* d'August Strindberg, texte français Mathilde Eidemoc, réalisation Matthias Langhoff, création à la Comédie de Genève le 15 novembre 1988, présentation au Théâtre de l'Athénée-Louis Jouvet du 10 janvier au 4 février 1989.

TABLE

Ouvrage réalisé
par les Ateliers graphiques
de la Coopérative d'éditions du Paradou.
Photocomposition : Société I.L.,
à Châteaurenard.
Achevé d'imprimer
en avril 1989
par l'Imprimerie
des Presses Universitaires
de France, à Vendôme,
pour le compte des éditions
ACTES SUD
Le Méjan
13200 Arles

DÉPOT LÉGAL
1re édition : mai 1989
Imp. n° 35 045